LA BOUGIE BANCALE

ERLE STANLEY GARDNER

Titre original : « The Case of the Crooked Candle »

Traduction de Igor B. Maslowski

Edito-Service S.A., Genève, Editeur

ISBN 2-8302-0895-1
(publié précédemment par les Presses de la Cité :
ISBN 2-258-00615-5)

16 369 037(0

CHAPITRE PREMIER

Perry Mason pénétra dans son bureau particulier et aperçut Della Street, sa secrétaire, en train d'essuyer un grain de poussière sur un coin de sa table de travail. En entendant le bruit de la porte, la jeune femme leva la tête et sourit.

— Bonjour, patron, dit-elle.

L'avocat déposa son chapeau dans un placard puis vint s'asseoir dans son fauteuil et jeta un coup d'œil à sa correspondance. Della en avait fait trois piles — la première marquée « *Inutile de répondre* », la seconde « *A lire, mais le secrétariat peut répondre* », la troisième enfin « *A répondre personnellement* ».

Pendant que Mason s'absorbait dans cette dernière, Della quitta la pièce mais revint quelques instants plus tard, tenant un bloc et un crayon. L'avocat se passa la main sur les cheveux, fixa un instant sa secrétaire, puis son regard se porta en direction de la fenêtre par où l'on apercevait un coin de ciel bleu.

— Nous sommes vendredi, Della, déclara-t-il.

Della Street acquiesça silencieusement.

— Pourquoi, poursuivit l'avocat, exécute-t-on toujours les criminels le vendredi ?

— Probablement parce qu'on considère que partir en voyage ce jour-là porte malheur.

— Précisément, fit Mason. Je trouve que c'est barbare.

On devrait donner une dernière chance au criminel sur le point de faire le grand saut dans l'inconnu.

— Les braves gens meurent aussi le vendredi, objecta Della.

— Ma belle, vous devenez philosophe. Ou, plus exactement, réaliste. Tout comme Jackson, mon fidèle clerc. A cette différence près que lui, c'est un réaliste *négatif,* si l'on ose dire. Il connaît bien le droit, mais redoute tellement les réactions de l'adversaire qu'il a peur de faire preuve d'initiative. Tiens, quand on parle du loup...

Et Mason s'arrêta en entendant frapper :

— Entrez, Jackson !

Le battant s'ouvrit et Jackson pénétra dans le bureau de son patron une feuille de papier à la main.

— Alors, fit l'avocat d'un ton malicieux, quel mauvais vent vous amène ?

Le clerc ignora l'ironie. C'était un homme totalement dénué du sens de l'humour, et qui ne vivait que par et pour la Loi, avec un grand L.

— Bonjour, maître, déclara-t-il d'un ton un peu solennel. J'avais hâte de vous voir, car je tenais à vous entretenir d'une affaire *extrêmement* importante. J'ai une personne dans mon bureau. Je me demande toutefois si nous pouvons entreprendre quelque chose sans risquer de grosses complications...

Il se racla la gorge et, tandis que Mason lançait un clin d'œil complice à Della, poursuivit en prenant un air concentré :

— Voilà de quoi il s'agit. Un camion, appartenant à la Compagnie d'Astrakhan de Skinner Hills, s'est brusquement arrêté sur la Nationale, sans le signaler. Une voiture qui le suivait et qui était pilotée par Mr. Arthur Bickler, lequel voudrait que nous le représentions, a, de ce fait, heurté l'arrière du premier véhicule. Gros dégâts matériels.

— Mr. Bickler, s'enquit Mason, était-il seul dans son auto ?

— Non, rétorqua Jackson, il se trouvait en compagnie de sa femme, Mrs. Sarah Bickler.

— Je parie, déclara en souriant l'avocat, que le chauffeur du camion affirme qu'il a signalé son intention de s'arrêter ; qu'il accuse, d'autre part, Mr. Bickler de ne pas l'avoir remarqué parce que, probablement, celui-ci bavardait avec sa moitié ; qu'il soutient enfin avoir agité le bras par la portière, klaxonné trois fois au moins et avoir tout fait pour attirer l'attention de notre éventuel client sur la manœuvre qu'il préparait.

Jackson ne leva même pas la tête, continuant de consulter ses notes.

— Le chauffeur a prétendu en effet avoir aperçu la voiture de Mr. Bickler dans le rétroviseur bien avant de s'arrêter, continua-t-il, et affirmé avoir signalé à plusieurs reprises son intention de stopper. Mais il n'a nullement accusé Mr. Bickler de manque d'attention. Toutefois, ce n'est pas cela qui est important, mais la suite. Les deux véhicules s'étant heurtés, Mr. Bickler et le chauffeur en descendirent en s'adressant les récriminations et reproches habituels. Puis Mr. Bickler sortit de sa poche son agenda et un crayon et nota le nom de la société, c'est-à-dire « Compagnie d'Astrakhan de Skinner Hills », ceci sans provoquer de protestation de la part du conducteur du camion.

— Pourquoi aurait-il protesté ?

— Ensuite, poursuivit Jackson, Mr. Bickler passa derrière le camion pour relever le numéro, mais à peine l'avait-il fait que le chauffeur lui enleva gentiment des mains agenda et crayon et fourra le tout dans sa poche, puis remonta sur son siège et repartit à toute allure.

— L'accident a-t-il fait des blessés ?

— Pas exactement, mais Mrs. Bickler a subi une commotion nerveuse.

— Avez-vous retrouvé l'adresse de la Compagnie dans l'annuaire ?

— Non, précisément. Et ce qui est encore plus

étrange, c'est que le nom de la société ne figure pas au registre du commerce.

— En ce cas, décida Mason, mettez Paul Drake sur l'affaire. Il n'y a pas beaucoup d'entreprises à s'occuper d'astrakhan dans la région, et il lui sera facile de se renseigner sur la « Skinner Hills » par l'intermédiaire des compagnies concurrentes.

— Mais ça nous coûtera de l'argent, objecta Jackson, et je ne sais toujours pas si nous voulons représenter Mr. Bickler. Après tout, et bien que je n'aie pas étudié le dossier à fond, il se peut qu'il ait été dans son tort, auquel cas...

— Mon pauvre Jackson, l'interrompit l'avocat, si nos confrères et nous-mêmes ne nous chargions que d'affaires sûres, autant fermer boutique. Faites ce que je vous dis.

— Très bien, fit le clerc d'un ton pincé. Puisque vous me l'ordonnez... Mais comme il y avait des frais en perspective, je n'ai pas voulu prendre de décision sans votre autorisation...

— Vous l'avez.

Jackson s'inclina légèrement et sortit. Mason jeta un coup d'œil à Della en poussant un soupir.

— Qu'est-ce que je vous disais ? déclara-t-il. Il a peur de son ombre, ce garçon-là. Penser qu'il a été jusqu'à épouser une veuve, dans l'espoir, probablement, que le terrain avait été déblayé sur le plan... romantique.

Le téléphone sonna ; Della décrocha, écouta quelques instants, puis se tourna vers Mason et dit :

— C'est l'étude Sticklan, Crowe et Ross. Vous prenez la ligne ?

— Je ne sais pas ce qu'ils me veulent, mais donnez toujours... L'avocat s'empara du récepteur. — J'écoute... Qui est à l'appareil ? Ah, bonjour, Mr. Sticklan. Que puis-je pour vous ?

— Est-ce vous, s'enquit Sticklan, qui représentez un certain Arthur Bickler, impliqué dans un accident de la route ?

— Oui.

— Combien votre client accepterait-il, si on transigeait à l'amiable ?

— Combien êtes-vous prêts à offrir ?

— Si votre client renonçait à toute espèce de poursuite, déclara Sticklan d'un ton prudent, le mien irait jusqu'à trois cents dollars.

— Vous représentez la Compagnie d'Astrakhan de Skinner Hills ?

— Oui.

— Je vous rappellerai tout à l'heure.

— D'accord, mais faites vite. Mon client veut un règlement rapide. Mason raccrocha et sourit à Della Street.

— Ça ne s'annonce pas trop mal, mon petit. Appelez-moi Jackson.

Quelques instants plus tard, le clerc revint, l'air aussi pessimiste que d'habitude.

— Les Bickler sont toujours dans votre bureau ? demanda l'avocat.

— Oui.

— Si l'autre partie offrait de transiger, combien accepteraient-ils pour solde de tout compte ?

— Je n'en ai pas encore discuté, mais Mr. Arthur Bickler affirme que les dégâts s'élèvent à quelque deux cent cinquante dollars.

— Fichtre ! s'écria Mason. Mais il n'en reste donc qu'un tas de ferraille, de sa bagnole ?

— Les dommages-intérêts sont compris dans la somme.

— Et Mrs. Bickler, que demande-t-elle pour sa commotion nerveuse ?

— Elle parle de cinq cents dollars.

— Accepteraient-ils une indemnité globale de sept cent cinquante ?

— Oh, certainement. Même cinq cents serait considéré comme une somme extrêmement satisfaisante.

— Allez-leur demander s'ils sont d'accord.

Jackson disparut pour quelques instants, puis revint en bombant le torse.

— Ainsi que je vous l'avais dit…

— Compris, fit Mason en décrochant. Gertie, passez-moi l'étude Sticklan, Crowe et Ross… — Il attendit quelques instants. — C'est vous, Mr. Sticklan ? Je viens de m'entretenir avec mon client. Hélas, je crains que la situation ne soit plus grave que je ne pensais. Non seulement il y a à déplorer des dégâts matériels considérables, mais encore Mrs. Bickler a subi une très forte commotion nerveuse et…

— Combien ? coupa Sticklan.

— En outre, poursuivit Mason, imperturbable, le conducteur du camion s'est conduit en parfait goujat, se livrant virtuellement à des voies…

— Combien ?

— Deux mille cinq cents dollars.

— Quoi ? hurla Sticklan.

— Vous m'avez entendu, rétorqua l'avocat. Et la prochaine fois, ne m'interrompez pas quand je suis en conférence avec un client, pour me proposer une aumône.

— Mais c'est insensé ! C'est du vol…

— Les tribunaux apprécieront, dit Mason en raccrochant. Jackson ouvrait des yeux ronds.

— Deux mille… commença-t-il d'une voix étranglée. Mais…

L'avocat détacha sa montre-bracelet et la posa devant lui, sur le bureau.

— Il me rappellera dans cinq minutes, fit-il.

— Mais comment diable Sticklan a-t-il appris que nous nous occupions de l'affaire ? demanda Jackson sans pouvoir se remettre de son émotion.

— Il a probablement appelé les Bickler chez eux, ou l'a appris par des voisins. De toute façon, quelle importance ? Ce qui compte c'est qu'il paraît *vraiment* anxieux de transiger.

Le téléphone sonna.

— Deux minutes dix secondes, fit Mason en décrochant.

— Mr. Mason, dit Sticklan, mon client estime que le vôtre est vraiment déraisonnable. Je...

— Les tribunaux apprécieront, coupa Mason.

— Mon client m'autorise à vous proposer douze cent cinquante dollars.

— Ridicule !

— Ecoutez, Mason, je prends sur moi de vous offrir encore deux cent cinquante dollars, soit quinze cents en tout.

— Mrs. Bickler, objecta Mason, a subi une *très* violente commotion.

— Rien de tel qu'un peu d'argent pour guérir un petit bobo, fit Sticklan, sarcastique.

— On voit bien que vous n'avez pas vu la pauvre femme. Tenez, Sticklan, je vais vous faire une contre-proposition. Dites à votre client que, s'il nous verse deux mille dollars d'ici une heure, nous renonçons à nos poursuites.

— Un instant, ne quittez pas... — Mason entendit un murmure de voix, puis Sticklan reprit : — C'est d'accord, mon cher confrère. Un de mes employés sera chez vous dans une demi-heure, avec le chèque. J'exige toutefois que la transaction soit enregistrée dans les formes notariées.

Mason raccrocha et se tourna vers Jackson.

— Ma conscience, dit-il, devrait me démanger, mais — et j'ai honte de l'avouer — il n'en est rien.

Le pauvre Jackson transpirait abondamment.

— Je ne vous comprendrai jamais, avoua-t-il d'un ton piteux. Moi, j'aurais accepté cinq cents.

Mais, tandis qu'il se dirigeait vers la porte, Mason le rappela.

— Un instant, Jackson. Quelque chose me revient à l'esprit. Ce nom de Skinner Hills ne m'est pas inconnu. N'avons-nous pas récemment eu à nous occuper d'une affaire immobilière, d'un terrain, je crois, précisément situé dans le secteur de Skinner Hills ?

Jackson commença par secouer la tête, puis soudain porta la main à son front.

— Vous avez raison, maître ! L'affaire Kingman.

— De quoi s'agissait-il, déjà ?

— Vous aviez reçu une lettre d'une certaine Mrs. Adelaide Kingman que vous m'avez transmise. J'ai eu un échange de correspondance avec cette personne lui suggérant de faire valoir ses droits sur le terrain en question par voie judiciaire, mais elle m'a répondu qu'elle n'était pas assez riche pour un procès, et j'ai classé le dossier.

— Rappelez-moi un peu les détails.

— Eh bien, déclara Jackson après s'être raclé la gorge, Mrs. Kingman avait des droits incontestables sur un terrain situé dans la région de Skinner Hills. Elle a vendu ledit terrain à un éleveur de moutons du nom de Franck Palermo pour, si je m'en souviens bien, cinq cents dollars. Le terrain ne présente d'ailleurs que peu de valeur : il est aride, à l'exception de quelques hectares pouvant servir de pâturage. Toutefois, Palermo n'a pas versé la somme, invoquant un vice de procédure lors de la rédaction du contrat. Mais comme, entre-temps, il a payé des impôts nominatifs sur ces terres, il affirme qu'occupation acceptée par le Fisc vaut titre.

— Et Mrs. Kingman n'a pas voulu l'attaquer ?

— Non, d'autant plus qu'elle a eu, sur ces entrefaites, un accident — une jambre brisée. Elle est actuellement soignée dans un hôpital de San Francisco. C'est une vieille dame de soixante-cinq ans, économiquement faible, et qui n'a pas les moyens de se payer les frais d'un avocat.

— Jackson, dit Mason, asseyez-vous et réfléchissons un peu.

Le clerc s'exécuta.

— Pourquoi, à votre avis, la Compagnie d'Astrakhan a-t-elle transigé de la façon que vous savez et aussi rapidement ?

— Parce que, répliqua Jackson, son administrateur

craignait que nous n'appuyions notre argumentation sur le fait que le camionneur avait virtuellement utilisé la force pour s'emparer de l'agenda et du crayon de notre client.

Mason haussa les épaules.

— J'attire votre attention sur un point précis dit-il, Sticklan m'a téléphoné peu après dix heures.

— Et alors ? demanda Jackson.

— C'est très important, fit l'avocat.

— Je sais ! s'écria Della. Les banques ouvrent à dix heures.

— Oui, mais c'est aussi à dix heures, rarement plus tôt, que les gros pontes arrivent à leur bureau, déclara Mason. Je suppose que le dossier a d'abord été remis entre les mains d'un sous-fifre qui, ne sachant quelle décision prendre, l'a déposé sur le bureau du patron. Celui-ci a probablement essayé de contacter sur-le-champ Bickler en lui envoyant un émissaire, mais ce dernier a trouvé porte close. Quelque voisin charitable a alors dû lui apprendre que Bickler et madame étaient allés ici. Sur quoi, le grand patron a aussitôt appelé son avocat pour lui ordonner de transiger à n'importe quelles conditions. Pourquoi ?

— Je l'ignore, répliqua Jackson.

— Mais moi, reprit l'avocat, je crois le savoir. Della, appelez l'Agence d'Enquêtes Paul Drake et demandez à Paul de se renseigner sur la Compagnie d'Astrakhan de Skinner Hills. Qu'il se mette en rapport avec les éleveurs et qu'il me présente un tableau complet des activités de cette société. D'autre part, il faudra que le camionneur restitue l'agenda qu'il a confisqué à Bickler. Peut-être y retrouverons-nous le numéro du camion. J'ai l'impression que le dit numéro est la clé du mystère.

— Je comprends de moins en moins, maître, fit Jackson en se levant.

— A vrai dire, je ne fais que suivre une intuition, déclara Mason, mais vous savez que cela me réussit parfois. Quant à vous, Jackson, appelez Mrs. Kingman à son hôpital et conseillez-lui, si on venait lui proposer, à elle aussi, une transaction de quelque nature que ce soit, de refuser net. Annoncez-lui également que nous allons la sortir de la salle commune et l'installer dans une chambre particulière avec infirmières et gardes-malades. Veillez enfin à ce qu'un des meilleurs spécialistes de San Francisco se rende à son chevet.

— Et qui, demanda Jackson en avalant sa salive, payera l'addition ?

— Mais nous, voyons ! fit tranquillement Mason.

CHAPITRE II

Le lendemain matin, Paul Drake, directeur de l'Agence d'Enquêtes portant son nom, pénétra dans le bureau particulier de Mason et, selon sa bonne habitude, s'installa dans le fauteuil réservé aux clients, les jambes sur un des accoudoirs.

— Doù vient, Perry, demanda-t-il, l'intérêt soudain que vous portez aux fourrures d'astrakhan ?

— Disons, fit l'avocat en clignant de l'œil, que j'ai envie de payer un manteau à quelque belle rousse. Qu'avez-vous découvert, Paul ?

— Eh bien, la Compagnie qui vous intéresse a des activités des plus mystérieuses, mais un fait est certain — elle a récemment acquis pas mal de terrain du côté de Skinner Hills.

— Dans quel but ?

— Mais pour élever des moutons, pardi !

— Pourquoi justement le secteur de Skinner Hills ?

— Parce que, me suis-je laissé dire, c'est là que de l'avis des spécialistes on trouve les meilleurs pâturages convenant aux bêtes dont la fourrure sert à protéger nos compagnes du froid. Question de composition minéralogique du sol, je crois.

— Et qui s'occupe de ces rachats pour le compte de la compagnie ?

— D'abord, il y a un certain Fred Milfield. Il habite au

2291 West Narlian Avenue. Marié. Sa femme s'appelle Daphné et ils sont tous deux originaires du Nevada.

— Qui d'autre ?

— Un individu du nom de Harry Van Nuys. Trente-cinq ans, mince, élégant, yeux foncés, teint clair. Le type du gars content de lui. Lui aussi viendrait du Nevada, de Las Vegas pour être précis. Celui-là crèche dans un hôtel, au « Cornish », mais il n'est jamais là. Du moins, mes hommes n'ont encore pu mettre la main sur lui.

— Et Milfield ? L'avez-vous fait interroger ?

— Non, j'ai eu mes renseignements par des tiers. Il a dans les quarante-cinq ans, est plutôt fort, blond — du moins ce qui lui reste de cheveux. L'air candide, mais probablement aussi chacal que Van Nuys. Il paraît que, depuis leur apparition du côté de Skinner Hills, les prix des terrains ont tendance à monter.

— Ces terrains, les achètent-ils ou les louent-ils ?

— Ils les achètent. Et j'aime mieux vous dire qu'ils semblent disposer de crédits illimités. Il n'y a pas longtemps, un homme qui avait vendu son terrain à Milfield, a accompagné celui-ci à la banque pour toucher le montant du chèque. Seulement, le chèque, Milfield ne s'en est jamais dessaisi. Il a emmené le gars avec lui et a passé le chèque au caissier. Le vendeur a remarqué que le chèque était signé en blanc et que Milfield n'a eu qu'à inscrire la somme. Il n'a pas remarqué le prénom de la signature mais croit que le nom était Burbank ou quelque chose dans ce genre. Ça ne vous dit rien ?

— Pas grand-chose, si ce n'est que ce Burbank est peut-être l'homme dont j'ai besoin.

— Que lui voulez-vous, Perry ?

— Pour être tout à fait franc, j'ai l'intention de lui vendre une trentaine d'hectares de pâturage pour la somme de cent mille dollars.

— Je donne ma langue aux chats.

— N'avez-vous rien senti, en procédant à cette petite enquête pour mon compte ? Moi… — et Mason renifla d'un air entendu — … je perçois nettement une odeur.

— Mais encore ?

— Du pétrole !

Drake émit un sifflement.

— Quels sont les prix pratiqués par MM. Milfield et Van Nuys, Paul ?

— Des prix ordinaires, à moins qu'il n'y ait anguille sous roche. Après tout, Perry, il est samedi midi, et il n'y a pas vingt-quatre heures que je suis sur l'affaire. Donnez-moi le temps de me retourner.

— Moi-même, Paul, je livre une course contre la montre, et je veux empêcher le groupe de spolier une pauvre femme du nom d'Adelaïde Kingman qui repose dans un hôpital de San Francisco avec une jambe brisée. Elle possède un terrain dans le secteur de Skinner Hills, mais ses droits sont contestés et je crains que le possesseur actuel ne vende ce terrain pour une bouchée de pain, auquel cas il y en aurait pour des années à démêler l'écheveau.

— Le plus simple, déclara Drake, est de contacter Milfield ou Van Nuys.

— Eux, c'est du menu fretin, Paul. Celui qui m'intéresse, c'est l'homme qui tire les ficelles, celui qui a eu tellement peur qu'un de mes clients ait relevé le numéro d'un de ses camions qu'il a préféré transiger à des conditions exorbitantes.

— Mais ce numéro, celui que vous deviez me communiquer, l'avez-vous ? Mason se mit à rire.

— Vous parlez, Paul ! Mon client, Bickler, a bien récupéré son agenda et son crayon, mais la page qui nous intéresse avait été arrachée. Allez donc prouver quelque chose !

— Eh bien, Perry, c'est tout ce que j'ai pu dénicher pour le moment. Mes hommes sont toujours sur l'affaire, mais toutes les pistes mènent à Milfield et Van Nuys. Et ces deux lascars-là, impossible de les atteindre.

— Et vous me dites qu'ils offrent des prix normaux ?

— Relativement normaux pour des pâturages. Maintenant, il y a fort à parier que, pour éviter de trop fortes taxes, ils versent des dessous de table, vous le savez mieux que moi. Seulement, comme vous le disiez, allez donc le prouver. Perry, ne me gâchez pas mon week-end, laissez-moi jusqu'à lundi après-midi.

— Ce serait probablement trop tard, déclara Mason en se levant. Je me demande s'il n'est même pas trop tard à l'heure qu'il est. Je vais quand même essayer de contacter Mrs. Daphné Milfield, puisque son mari est invisible. Que savez-vous d'elle ?

— Rien que ce que je vous ai dit tout à l'heure.

Mason fit signe à Della qui avait assisté à l'entrevue avec Drake sans seulement ouvrir la bouche.

— Attendez-moi ici, Della, dit-il. J'espère que vous aurez de mes nouvelles d'ici une demi-heure.

CHAPITRE III

— Mr. Milfield n'est pas là, déclara à l'avocat le réceptionniste de l'élégante résidence sise au 2291 West Narlian Avenue. Il ne rentrera pas avant tard ce soir.

— Et Mrs. Milfield ? s'enquit Mason d'un ton badin.

— Un instant, je vous prie... De la part de qui, s'il vous plaît ? — Tout en parlant, l'homme avait décroché le téléphone intérieur. — De Mr. Mason ? Très bien... — Il s'entretint quelques instants avec une personne à l'autre bout du fil, puis se tourna de nouveau vers l'avocat. — Mrs. Milfield regrette, mais elle dit qu'elle ne vous connaît pas.

— Dites-lui qu'il s'agit d'une affaire d'astrakhan.

— D'astrakhan ? — L'employé avala sa salive. — Très bien, monsieur. — Il transmit le message, écouta la réponse, puis raccrocha. — Mrs. Milfield va vous recevoir, Mr. Mason. Appartement 14B. Vous pouvez monter.

L'avocat s'engouffra dans un luxueux ascenseur dont le liftier, un Noir, portait livrée et, arrivé au quatorzième, suivit un long couloir jusqu'à une porte marquée « 14B » qui s'ouvrit à peine eût-il posé le doigt sur le bouton de la sonnette.

— Oui ? fit la femme qui se dressa sur le seuil. C'est vous qui veniez au sujet d'une affaire d'astrakhan ?

— En personne.

— Je suis désolée, mais mon mari n'est pas là. Pourriez-vous me dire de quoi il s'agit ?

Elle avait certainement dépassé la trentaine, mais paraissait de sept ou huit ans plus jeune, et seuls ses yeux, aux paupières rouges et gonflées trahissaient son âge véritable. Blonde d'une taille au-dessus de la moyenne, elle avait une certaine allure et, très probablement, beaucoup de succès auprès des hommes. Mason regarda autour de lui, comme s'il craignait qu'une oreille indiscrète ne surprît leur conversation.

— Je vais descendre dans le hall avec vous, fit Mrs. Milfield.

Puis, après une très légère hésitation, elle ajouta :

— Ou mieux encore, entrez donc.

Mason la suivit. L'appartement paraissait cossu. Au moment où ils passaient devant une fenêtre, un rayon de soleil frappa la femme de plein fouet et l'avocat réalisa aussitôt la raison de ses yeux gonflés elle avait pleuré. Elle dut deviner la pensée du visiteur car elle détourna vivement la tête et, lorsqu'ils eurent pénétré au salon, s'assit le dos à la fenêtre, tout en indiquant un fauteuil à Mason. Celui-ci s'inclina, prit place et tira son portefeuille pour en extraire sa carte.

— Mrs. Milfield, déclara-t-il, je suis avocat.

— Ah, fit-elle, après avoir jeté un coup d'œil au rectangle de bristol, vous êtes *Perry* Mason... Je vous connais de réputation. Mais je pensais que vous ne vous occupiez que d'affaires criminelles.

— Pas nécessairement, Mrs. Milfield. Mon cabinet accepte toutes sortes d'affaires.

— Et puis-je vous demander la nature de votre intérêt pour l'astrakhan ?

— Une de mes clientes voudrait toucher une grosse somme.

— Je présume que la plupart de vos clients veulent de l'argent, répliqua-t-elle en souriant.

— Oui, mais celle-ci *en a besoin* et je veillerai à ce qu'elle l'ait.

— Gentil de votre part. Et quel est le rôle de mon mari, là-dedans ?

— Le nom de ma cliente est Mrs. Kingman, Mrs. Adelaïde Kingman.

— Ce nom ne me dit rien. Mon mari ne me tient pas au courant de ses affaires.

— Il est capital que je le voie le plus rapidement possible.

— Je crains que ce ne soit impossible.

— Et vous même, ne pourriez-vous le contacter... *immédiatement ?*

— Non.

— Dommage. En tout cas, dès que possible, dites-lui que j'ai un excellent odorat, que je suis récemment allé me promener du côté de Skinner Hills et que ce que j'y ai senti n'avait nullement odeur d'astrakhan. Vous souviendrez-vous de cela ?

— Je... je l'espère. Mais quel drôle de message, Mr. Mason !

— Vous pouvez ajouter que, s'il ne se montrait pas compréhensif, je suggérerais à Mrs. Kingman de s'entretenir avec les propriétaires des terrains voisins du sien.

— En plein mystère, à ce que je vois, Mr. Mason.

— Si vous voulez, fit l'avocat en se levant. En tout cas, je ne saurais trop souligner le caractère urgent de mon message. Soyez sûre de le transmettre à votre mari dès que vous aurez l'occasion de le voir ou de lui parler.

— Je n'y manquerai pas et...

La sonnerie du téléphone interrompit la jeune femme qui tourna la tête vers l'appareil d'un air visiblement ennuyé.

— C'est peut-être votre mari, fit doucement Mason.

Le téléphone sonnait toujours. L'avocat ne bougeait pas plus qu'une statue. De plus en plus nerveuse, Mrs. Milfield finit par se lever à son tour et alla décrocher.

— Oui ? demanda-t-elle. Non, je ne connais personne du nom de Tragg. Le *lieutenant* Tragg ? Non, ça ne me dit rien... Dites-lui que mon mari ne sera pas là avant... Quoi ? Mais je ne veux pas... ! Il est en train... ? — Elle raccrocha brutalement puis se tourna vers Mason. — Non, mais quel toupet ! Il monte bien que je n'aie pas envie de le recevoir. Je ne lui ouvrirai pas.

— Un instant, fit vivement l'avocat. Savez-vous qui est le lieutenant Tragg ?

— Non, et je ne veux pas le savoir. Je...

— C'est un policier, attaché à la Brigade Criminelle. Je ne sais pourquoi vous avez pleuré, Mrs. Milfield, mais laissez-moi vous dire que le lieutenant Tragg ne s'occupe ni de contraventions ni de menus délits. Si vous êtes impliquée dans un crime, si vous êtes au courant d'un meurtre.

— Moi au courant d'un meurtre ? Mais, Mr. Mason, je ne vois pas. Je ne connais personne qui ait été assassiné, à moins que...

— A moins que quoi, Mrs. Milfield ?

— Non, rien.

— N'alliez-vous pas dire « à moins que ce ne soit mon mari » ?

— Mon mari ? Enfin, tout de même, Mr. Mason ! Ne me faites pas dire ce que je ne pense pas.

— Pourquoi avez-vous pleuré ?

— Qui dit que j'ai pleuré ?

— Ecoutez, Mrs. Milfield, nous n'avons pas de temps à perdre en discussions académiques. Si quelque chose est vraiment arrivé à votre mari, et si le lieutenant Tragg me trouve ici, il ne voudra jamais croire que je suis venu autrement que sur votre demande. Votre appartement possède-t-il une porte de service ?

— Non.

— Avez-vous des oignons à la cuisine ?

Les yeux de la jeune femme s'ouvrirent tout ronds.

— Des oignons ? Qu'est-ce que les oignons...

— Je vais me réfugier à l'office, coupa Mason. Ne dites pas à Tragg que je suis là. Mettez vite quelques oignons dans l'évier et enfilez un tablier. Lorsqu'il sonnera, allez ouvrir un couteau à la main et, s'il se montre curieux, dites que vous étiez en train de peler des oignons...

La sonnette de la porte d'entrée retentit.

L'avocat ramassa son chapeau puis entraîna Mrs. Milfield à la cuisine.

— Un tablier, vite... Et voici des oignons. — On sonna de nouveau. Mason prit un oignon, le coupa en deux, en frotta les mains de Mrs. Milfield, puis lui tendit le couteau. — Allez ouvrir maintenant. Cette histoire d'oignons est le seul moyen d'expliquer vos yeux gonflés. Ne dites pas à Tragg plus qu'il n'en faut et, surtout, qu'il ne sache pas que je suis là.

La sonnette retentit pour la troisième fois tandis qu'il la poussait doucement hors de la cuisine.

Mrs. Milfield partie, Mason ouvrit la porte de l'office, s'installa sur une chaise et tendit l'oreille. Il perçut un murmure de voix puis, au bout d'une minute ou deux, un cri de femme à moitié étouffé. Ensuite le murmure reprit. Mason se leva, entrouvrit silencieusement la porte et tenta de surprendre quelques bribes de conversation. Il entendit le lieutenant poser une question à propos de chaussures mais sans en saisir le détail, ni la réponse de Mrs. Milfield. Jetant un coup d'œil contrarié à sa montre, il parcourut la petite pièce du regard, puis, comme poussé par une inspiration soudaine, il s'empara d'une boîte de biscuits, l'ouvrit, en prit cinq ou six et commença à les croquer. Ensuite, avisant un pot de beurre de cacahuètes, il en dévissa le couvercle, sortit son canif et étala un peu de pâte dorée sur les biscuits. Tandis qu'il mastiquait, il entendit des pas se rapprocher de l'office mais ne leva même pas la tête lorsque la porte s'ouvrit.

— O.K., Mason, fit Tragg, on sait que vous êtes là.

— Tiens, quelle surprise ! dit l'avocat. Vous venez partager mon repas ? Mrs. Milfield, n'auriez-vous pas un verre de lait à m'offrir ?

— Mais certainement, Mr. Mason. Il y en a une bouteille dans le réfrigérateur. Je vous suggère de passer à la cuisine, messieurs. Cette pièce est un peu petite pour trois personnes.

— Voulez-vous me dire, Mason, demanda Tragg lorsqu'ils se furent retrouvés à la cuisine, pourquoi vous vous cachiez de moi ?

— Simplement pour vous évitez de commettre un impair, lieutenant déclara tranquillement l'avocat tout en prenant le verre de lait que lui tendait Mrs. Milfield.

— Un impair ? s'écria le policier.

— Parfaitement, mon cher, répliqua Mason. J'étais venu voir Mrs. Milfield au sujet d'une affaire. J'ignore quel bon vent vous amène ici, mais en apprenant que vous montiez, je me suis aussitôt dit que, me trouvant avec ma cliente, vous ne manqueriez pas de croire que je suis là pour la même raison que vous, ce qui vous aurait automatiquement lancé sur une fausse piste.

— Ts, ts, Mason, vous n'allez tout de même pas me faire croire ça ! persifla Tragg d'un ton sarcastique.

— Vous voyez ? fit l'avocat en haussant les épaules. Ne me reprochez pas, plus tard, de ne pas vous avoir prévenu. Qui est la victime, cette fois ?

— Qu'est-ce qui vous fait croire qu'il y en a une ?

— Votre présence ici.

— En fait de présence, parlons d'abord de la vôtre.

— Je n'ai rien à vous cacher, répliqua en souriant Mason. J'étais monté chez Mrs. Milfield pour prendre une légère collation.

— Cela ne nous mène à rien, Mason, dit Tragg d'un ton irrité. Bon, puisque la comédie risque de se prolonger, autant que je vous mette au courant sans plus tarder. Le mari de Mrs. Milfield a été assassiné.

— Oh, j'en suis désolé ! s'écria l'avocat en se tournant vers la jeune femme.

— Et, bien entendu, poursuivit Tragg, plus caustique que jamais, vous n'êtes au courant de rien.

— Bien entendu.

Tragg jeta un coup d'œil à l'évier.

— C'est ça, les oignons que vous étiez en train de peler ? demanda-t-il à Mrs. Milfield.

— Oui, répondit-elle.

— Hum, fit le policier en jetant un regard méfiant à Mason.

— Et où, reprit l'avocat, Mr. Milfield a-t-il été assassiné ?

— Dans les limites de la ville de Los Angeles, dit Tragg.

— Je m'en doute, puisque vous voilà sur l'affaire. Et qui est l'assassin ?

— Je voudrais bien le savoir.

— Eh bien, ça vous occupera pendant quelques semaines. Au fait, qui vous a appris que j'étais là ?

— C'est moi, dit Mrs. Milfield.

— Pourquoi l'avez-vous fait ? demanda Mason en fronçant les sourcils.

— Pour ne pas me trouver dans une fausse situation, expliqua-t-elle. Je lui ai dit que vous étiez venu voir mon mari et, qu'en l'absence de celui-ci, c'est moi qui vous avais reçu. J'ai pensé qu'il pourrait vous découvrir à l'office et qu'alors, si je ne m'étais pas montrée franche avec lui, il pourrait nourrir des soupçons à mon égard.

— Attitude éminemment logique, convint Mason. Dans quelles circonstances votre mari a-t-il été tué, Mrs. Milfield ?

— Il semble que...

— Pas un mot ! l'interrompit Tragg. Ce que je vous ai dit doit demeurer strictement confidentiel. De toute façon, vous n'avez plus rien à faire ici Mason. Milfield étant mort, votre visite est sans objet. A moins que la question qui vous amenait n'ait un lien avec le crime, auquel cas, votre devoir est de faire une déposition.

— Rassurez-vous, ce n'est pas le cas, dit Mason. Mais comme vous me l'avez si aimablement fait remarquer, je n'ai effectivement plus rien à faire ici et me retire sans tarder.

— J'ai l'impression, fit lentement Tragg, que nous nous reverrons...

CHAPITRE IV

Il y avait un drugstore au coin de la rue et Mason y entra, puis s'enferma dans la cabine téléphonique pour appeler Della.

— Vous avez déjeuné ? lui demanda-t-il.

— Vous savez bien que non ! Vous m'avez dit de vous attendre.

— Eh bien, moi j'ai déjeuné, légèrement d'ailleurs. En outre, nous avons un gentil petit crime sur les bras.

— Encore un ?

— Oui.

— Et qui est la victime ?

— Fred Milfield.

— Patron, comment est-ce arrivé ?

— Je l'ignore pour l'instant.

— Et qui représentons-nous ?

— Della, vous êtes d'un matérialisme sordide ! Ne puis-je m'occuper d'un crime sans représenter quelqu'un ?

— La vie est chère et le fisc impitoyable pour les mauvais contribuables.

— Il y a du vrai dans ce que vous dites... Della, appelez sur-le-champ Paul Drake et demandez-lui de se procurer le maximum de détails sur ce crime.

— Patron, qui va supporter les frais ? Du point de vue administratif, je ne puis l'imputer sur les frais généraux...

— Eh bien, débitez Mrs. Kingman. Je vais rentrer

d'ici dix minutes, mais vous, ne m'attendez pas et allez déjeuner.

Mason quitta le drugstore, arrêta un taxi et se fit conduire à son bureau. A sa grande surprise, il trouva Della qui l'attendait dans son cabinet particulier.

— Je vous avais pourtant dit..., commença-t-il d'un ton de reproche.

— Je me préparais à partir, expliqua-t-elle, quand une jeune femme est arrivée, demandant à vous voir. Je lui ai répliqué que vous ne seriez pas là avant lundi, mais elle a insisté pour entrer, affirmant qu'elle était prête à attendre, au cas, même improbable, où vous reviendriez.

— Je n'ai pas le temps de la recevoir, Della. Nous avons un meurtre sur les bras, et j'entends y consacrer tout mon temps.

— Cette jeune femme, déclara Della, s'appelle Carol Burbank.

— Peu m'importe comment... Minute! Burbank, dites-vous ?

Della acquiesça.

— Parente de l'homme dont le nom a été prononcé en relation avec cette histoire d'astrakhan? poursuivit Mason.

— Je l'ignore, mais j'ai eu la même idée, et c'est pourquoi je l'ai laissée entrer.

— Vous avez bien fait Della. Je vais la voir. Comment est-elle ?

— Emue au-delà de toute description.

— Je suppose que vous n'avez pas encore vu Paul ?

— Non, pas encore, j'allais justement me rendre chez lui. Avez-vous réussi à vous entretenir avec Mrs. Milfield ?

— Oui. J'étais là au moment où Tragg est venu lui apprendre la mort de son mari.

— Comment a-t-elle pris la chose ?

— Je l'ai entendue pousser un cri, mais je ne pense pas que ç'ait été une surprise complète pour elle.

— Comment est-elle ?

— Jolie, beaucoup de classe.

— Intelligente ?

— Plus que ça. Dangereuse. Elle m'a jeté en pâture aux loups, c'est-à-dire à Tragg.

— Dans quel but ?

— Apparemment pour bien se faire voir du lieutenant. Mais elle avait peut-être d'autres raisons.

— Probablement. Miss Burbank est dans la salle d'attente, patron. Allez la voir pendant que je me précipite chez Paul Drake.

— O.K. Et pardon de gâcher votre week-end, Della.

Mason quitta son cabinet, traversa le secrétariat et ouvrit la porte donnant sur le salon d'attente. Carol Burbank était assise sur une chaise, genoux serrés. En entendant du bruit, elle tourna vivement la tête et, en apercevant l'avocat, se leva. Pâle, les yeux cernés, le menton volontaire, elle paraissait plus fatiguée qu'effrayée.

— Mr. Mason ? demanda-t-elle.

— Oui.

— C'est bien vous qui vous êtes occupé d'un litige entre un certain Mr. Bickler et la Compagnie d'Astrakhan de Skinner Hills ?

— Exact.

— Mon père estime que vous vous êtes admirablement débrouillé.

— Je protège au mieux les intérêts de mes clients.

— Il m'a également dit que, si nous avions d'autres ennuis, il valait mieux vous avoir avec que contre nous.

— Votre père a-t-il des intérêts dans cette Compagnie ?

— Indirects. Il s'appelle Roger Burbank et...

— Et, sauf erreur, vous avez eu de nouveaux ennuis, n'est-ce pas ?

— Mr. Mason, dit la jeune fille, un associé de mon père a été assassiné — à bord du yacht de ce dernier.

— Ah ? Et que dois-je faire ?

— Mon père se trouve dans une situation fort délicate et je voudrais que vous l'aidiez.

— Se trouvait-il sur le yacht au moment du crime ?

— Ciel, non ! Absolument pas. Mais c'est justement ça, l'ennui. Il voulait qu'on croie qu'il y était alors qu'il ne s'y trouvait pas.

— Où se trouve-t-il actuellement ?

— Je ne sais pas.

— Avant de vous laisser poursuivre, Miss Burbank, je tiens à vous prévenir que je ne puis représenter votre père.

— Pourquoi ?

— Parce que je représente des intérêts adverses.

— Que voulez-vous dire ?

— Je représente Mrs. Adelaide Kigman, propriétaire d'un terrain de trente et quelques hectares...

— C'est Frank Palermo, le propriétaire de ce terrain, coupa-t-elle.

— Je regrette, mais vous faites erreur. Palermo est un occupant sans titre, et j'entends le prouver.

— Il l'a pourtant acheté.

— Oui, mais il n'a pas payé le prix stipulé.

— Combien demandez-vous au nom de Mrs. Kingman ? fit-elle lentement.

— Beaucoup d'argent, Miss Burbank.

— Ce n'est qu'un pâturage, comme il y en a des tas dans la région.

— C'est, pour l'instant, un pâturage. Demain, il sera hérissé de puits de pétrole.

— Qui parle de pétrole ?

— Moi. Mrs. Kingman demande cent mille dollars pour son terrain.

— C'est ridicule, Mr. Mason !

— Possible, mais c'est là la raison majeure pour laquelle je ne puis me charger des intérêts de votre père.

— Ecoutez, je vais vous faire une proposition. Acceptez de représenter mon père sans, pour autant, lâcher Mrs. Kingman et, lorsque vous le verrez, essayez de lui soutirer le plus d'argent possible au nom de votre autre cliente.

— Ce n'est pas très éthique. J'entends me montrer dur.

— Je le présume, après notre conversation, mais ça n'a pas d'importance. Soyez inébranlable pour l'autre affaire, mais chargez-vous de l'assassinat.

— Avez-vous le droit de vous engager ainsi au nom de votre père ?

— Dans des cas urgents, oui.

— Si vous en assumez la responsabilité, je suis d'acord. Qu'attendez-vous exactement de moi, Miss Burbank ?

— Je voudrais que nous allions trouver tous deux mon père.

— Où est-il ?

— Sur une affaire tellement importante qu'il doit s'entourer d'un maximum de précautions. Il ne faut pas qu'on sache où il est, sinon il y aurait d'énormes complications. C'est pour cela qu'il se trouve dans une situation particulièrement délicate.

— A cause du crime ?

— Oui. Fred Milfried a été tué sur son yacht. Mon père a l'habitude d'y passer les week-ends, à partir du vendredi soir. Le yacht, ancré dans le port, ne prend que rarement la mer, et sert surtout à mon père de lieu de travail et de détente. Seulement, il n'y est pas allé hier soir.

— Vous ne m'avez toujours pas dit où vous comptez le trouver.

— Je crois pouvoir l'atteindre, mais il faut que nous y soyons avant la police, pour le mettre au courant de ce qui s'est passé.

— La police s'en chargera.

— Il ne faut pas. On le soumettra à un interrogatoire serré et, tel que je le connais, il préférera, pour ne pas compromettre l'affaire dont il s'occupe, reconnaître faussement qu'il se trouvait à bord du yacht au moment du crime.

— Et mon rôle à moi, consistera en quoi ?

— Vous allez le conseiller sur ce qu'il doit ou ne doit

pas dire. Vous comprenez maintenant pourquoi il est urgent que nous le voyions avant la police.

— Si vous éclairiez un peu ma lanterne, Miss Burbank ? Je suis en suffisamment mauvais termes avec la police pour ne pas chercher à me jeter tête baissée dans une histoire dont j'ignore tout, de A à Z. A quelle affaire votre père travaille-t-il actuellement ?

— Tout ce que je peux vous dire, Mr. Mason, c'est qu'elle a des ramifications politiques. Mon père représente de gros intérêts politiques et financiers et il ne faut pas que les gens le sachent avant que tout soit fini.

— Bien, dit Mason. Allons retrouver votre père. Attendez-moi un instant.

Il passa dans son cabinet particulier pour prendre son chapeau et son manteau, revint au salon d'attente, fit signe à Carol Burbank de le suivre, puis tous deux sortirent dans le couloir.

En passant devant les bureaux de Drake, Mason entrouvrit la porte et appela :

— Della !

La jeune femme sortit de chez Paul Drake.

— J'ai une course à faire, déclara Mason. Allez déjeuner.

— Quand serez-vous de retour, patron ? s'enquit Della.

Ce fut Carol Burbank qui répondit :

— Quand Dieu le permettra.

CHAPITRE V

Carol Burbank passa son bras sous celui de Mason et l'entraîna vers un parking situé à environ un *block* et demi de l'immeuble abritant les bureaux de l'avocat. Une fois sur place, elle regarda plusieurs fois autour d'elle, l'air préoccupé.

— Il devrait être là, déclara-t-elle enfin, d'un ton nettement énervé.

— Qui ça ? Votre père ? s'enquit Mason.

— Non, Judson Beltin, son bras droit.

— Est-il au courant du crime ?

— Oui.

— Et de l'endroit où nous devons nous rendre ?

— Non. Je lui ai simplement dit d'amener ici une voiture au réservoir plein, pour que nous n'ayons pas à nous arrêter en cours de route. Ah, le voilà... C'est l'auto qui vire dans le parking. Détournez la tête, Mr. Mason, au cas où quelqu'un le surveillerait. Faites semblant d'attendre que le préposé vous amène votre propre voiture.

— Pourquoi tout ce mystère ?

— Je ne puis encore vous l'expliquer. Je vous en supplie, Mr. Mason, faites ce que je vous demande.

Un sourire moqueur aux lèvres, Mason obéit mais s'arrangea pour regarder du coin de l'œil la voiture qui venait d'arriver. Elle était pilotée par un homme de trente-cinq ans environ, mince, nu-tête. Il arrêta l'auto devant un des gardiens, descendit, paya, reçut en échange un ticket, puis se dirigea vers la sortie. Comme par hasard, il passa devant Mason et Carol. Au moment où il se trouva à hauteur de cette dernière, il tendit la main et glissa dans celle de la jeune fille le ticket qu'on lui avait remis, puis poursuivit sa route.

— Attendez, dit tout bas Carol à l'avocat. Je parie que Judson est « filé ». Tenez, voilà le bonhomme. Celui qui descend de la Chevrolet grise. Vous voyez, il se précipite sur les pas de Judson.

— Miss Burbank, déclara Mason, ce parking est à tout le monde. Cela ne signifie pas...

— Chut, Mr. Mason...

Ils attendirent quelques instants encore, puis Carol fit signe à un gardien et lui demanda d'amener sa voiture. Lorsque ce fut fait, elle s'installa au volant et invita Mason à prendre place à côté d'elle. Puis, manœuvrant avec habileté, elle vira dans la rue et se mêla au flot de la circulation.

— Je voudrais, dit-elle à l'avocat, que vous regardiez derrière nous pour voir si personne ne nous suit.

Elle franchit un carrefour au moment où le feu orange passait au rouge, et, ignorant le coup de sifflet d'un agent, écrasa le champignon.

— Personne ? s'enquit-elle.

— Si quelqu'un avait voulu nous suivre, déclara Mason, on aurait déjà entendu un bruit de ferraille.

Elle répéta la même manœuvre deux fois encore et ce n'est qu'alors, sûre que personne ne leur collait aux trousses, qu'elle parut se détendre un peu. Ils escaladèrent les collines de Conejo Grade, puis se lancèrent dans la montagne, en direction de Camarillo. En arrivant à Ventura, elle jeta un coup d'œil à son bracelet-montre.

— J'espère, fit-elle, que nous arriverons à temps.

C'étaient les premières paroles qu'elle prononçait depuis qu'ils avaient quitté Los Angeles. Mason demeura silencieux.

A mi-chemin entre Ventura et Santa Barbara, Carol vira

brusquement dans un *motel* à moitié caché par un rideau de palmiers et s'arrêta devant le bureau de l'établissement.

— On descend ? s'enquit l'avocat.

— Oui, répondit-elle en se dirigeant vers la réception. Avez-vous parmi vos clients un certain Mr. J. C. Lassing ? demanda-t-elle au réceptionniste.

Celui-ci consulta son registre.

— Cottage 14, répliqua-t-il. Cinq personnes en tout.

— Merci, dit la jeune fille en faisant signe à Mason. Ils suivirent une allée de gravier, cependant qu'une brise légère, venue de la mer, les frappait au visage. Le cottage 14 paraissait vide. Vide aussi le garage y attenant. Carol monta les trois ou quatre marches de ciment menant à la porte et frappa énergiquement. Ne recevant pas de réponse, elle tourna le bouton et pénétra à l'intérieur.

— Quelqu'un ? demanda-t-elle.

Seul le silence lui répondit.

— Quelqu'un ? fit à son tour Mason.

Toujours rien.

Le cottage se composait de quatre grandes pièces et l'ameublement en était luxueux. Trois chaises étaient rassemblées en demi-cercle devant le sofa, au salon, et il n'y avait pas un cendrier qui ne débordât de mégots de cigares et de cigarettes. Sur une table basse, on apercevait cinq verres, cependant qu'une corbeille à papiers, devant la cheminée, était pleine de cadavres de bouteilles.

— Je crains que tout le monde ne soit parti, déclara Carol. Allons voir dans les placards s'il n'y a pas de bagages.

L'avocat et la jeune fille procédèrent à une inspection générale du cottage, mais sans rien trouver qui indiquât une présence. Dans une des chambres à coucher, ils découvrirent sur une étagère un rasoir mécanique et un blaireau. Carol s'en empara, puis s'écria :

— C'est à mon père !

— Peut-être va-t-il revenir ? fit Mason

— Non, sinon il aurait laissé son sac de voyage. Ces deux objets, il les a simplement oubliés, comme ça lui arrive parfois.

— Ainsi donc, vous ne pensez pas qu'il puisse revenir ?

— Non. Ce cottage a servi au but en vue duquel il avait été loué.

— C'est-à-dire ?

— Une conférence politique. Quelques gros pontes de Sacramento (1). Je ne puis vous citer de noms, et n'ose même pas vous donner une idée de l'objet de cette conférence. C'est ce qu'on appelle en politique de la « dynamite », quelque chose de tellement énorme que la moindre révélation prématurée briserait certainement la carrière de tous ceux qui ont pris part à la réunion.

— Parfait, je ne vous poserai pas de questions, déclara l'avocat. Que fait-on maintenant ?

— Rien, répliqua Carol. Je vais emporter le Gillette et le blaireau. Nous n'avons plus rien à faire ici. — Elle attendit la réponse de Mason et, n'en recevant pas, prit lentement le rasoir et l'examina. — Il ne l'a même pas nettoyé, poursuivit-elle. Pensez-vous, Mr. Mason, que je dois le prendre avec moi ?

— Cela dépend.

— De quoi ?

— Supposons, dit l'avocat, que votre père ait besoin d'établir qu'il se trouvait ici hier soir ? Le rasoir pourrait servir de pièce corroborante, grâce à la possibilité d'une étude microscopique des poils.

— C'est vrai ! s'écria la jeune fille. Je n'y pensais pas.

— Le mieux, déclara Mason, serait que nous louions ce cottage pour huit jours à la condition expresse que personne, pas même les femmes de chambre, n'ait le droit d'y pénétrer. Il faut que tout reste dans l'état où nous l'avons trouvé.

— Excellente idée ! Nous allons fermer la porte à clé...

(1) Capitale politique de l'Etat de Californie.

Mais en dépit de leurs recherches, ils ne trouvèrent pas la clé.

— Un des participants à cette réunion, dit Mason, a dû l'emporter par mégarde. Miss Burbank, savez-vous où votre père a pu se rendre ?

— A bord de son yacht, je le crains, répondit-elle d'une voix sourde. Et comme la police est là-bas... — Elle enfouit son visage dans ses mains. — Oh, ce serait trop bête...

— Ne perdons pas de temps, déclara l'avocat. Retenons ce cottage, puis rentrons à Los Angeles pour retrouver votre père.

— J'aimerais que ce soit vous et non moi qui parliez au gérant du *motel*, dit Carol. Et puis, vous aurez besoin d'argent. Tenez, en voilà...

Elle tira une liasse de son sac. C'étaient des billets de vingt dollars, et la bande qui les retenait portait le nom d'une grande banque de Los Angeles et mentionnait la somme de cinq cents dollars.

— Je n'ai pas besoin de tant, dit Mason.

— Gardez quand même le tout, fit Carol. Il y aura d'autres frais. Allons-y.

Ils se rendirent au bureau du *motel*. Là, Mason demanda à parler au gérant et se trouva bientôt en face d'une femme d'une soixantaine d'années, au sourire de commande et au regard cupide. Elle avait dû être mise au courant de la venue du couple par le réceptionniste, car elle demanda :

— Alors ? Avez-vous trouvé les gens que vous cherchiez ?

— La situation, rétorqua Mason, est assez complexe.

La gérante fronça les sourcils. Elle devait détester les complications.

— En quoi est-elle complexe ? s'enquit-elle sèchement.

— Nous cherchions le père de cette jeune personne, poursuivit l'avocat en indiquant Carol. Nous avions rendez-vous chez vous. Malheureusement, nous sommes arrivés en retard et il a dû aller à notre rencontre, sur la route, mais nous nous sommes probablement croisés. Nous allons repartir pour essayer de le retrouver, mais comme nous aurons sans doute encore besoin du cottage, nous allons vous le relouer.

— Le loyer a été payé jusqu'à demain midi, déclara la gérante.

— Est-ce que la fiche d'arrivée mentionne les noms de tous les gens l'ayant occupé ? demanda Mason.

— Pourquoi ? fit la femme d'un air méfiant.

— Je veux m'assurer que c'est le bon cottage.

— Votre ami s'appelait-il Lassing ? demanda la gérante, plus méfiante que jamais.

— C'est le nom d'un des amis de mon père ! s'écria Carol.

— Et votre père, comment s'appelle-t-il ? s'enquit la femme.

— Burbank, répondit la jeune fille non sans une légère hésitation. Roger Burbank.

La gérante parut se radoucir.

— Nous n'avons pas l'habitude de demander les noms de tous nos clients lorsqu'ils viennent à plusieurs, expliqua-t-elle. En général, la fiche est remplie et signée par celui qui pilote la voiture, car il est obligé de donner le numéro et la marque de celle-ci. Mais attendez, je vais vérifier. — Elle consulta son fichier, puis poursuivit :

— Non, il y a juste *J. C. Lassing et personnes l'accompagnant.*

— Ce que je vous demande, déclara Mason, c'est que personne ne pénètre dans ce cottage, pas même les bonnes.

— Ah ? fit la gérante, redevenant méfiante.

Puis, brusquement :

— Le loyer est de huit dollars par jour.

Mason lui en remit quarante.

— Je vous paie cinq jours d'avance, dit-il. Et je vous prierai de bien vouloir m'établir un reçu.

CHAPITRE VI

— Vous n'avez pas faim ? demanda Mason à Carol, tandis qu'ils roulaient en direction de Los Angeles.

— Pas très. Et vous ?

— Je serais capable de manger un bœuf. Ce vent froid développe l'appétit.

— Si vous pouvez encore tenir, je préférerais manger plus tard. Je voudrais tellement retrouver mon père.

— Ne craignez-vous pas qu'il soit trop tard ?

— Hélas !

A leur droite, le soleil avait déjà disparu derrière l'horizon, et les Iles du Chenal se découpaient en masse sombre sur le vert-bleu de l'océan. Mason et Carol roulèrent en silence jusqu'à Camarillo. Au moment où ils approchaient de cette localité, l'avocat demanda tout à coup :

— Depuis combien de temps, à votre avis, votre père a-t-il quitté le cottage ?

— Je ne sais pas. Pourquoi ?

— Rien de spécial. Simple idée.

— Comment le saurais-je, Mr. Mason ?

Le silence s'établit de nouveau entre eux et ce n'est qu'après qu'ils eurent franchi les limites de Los Angeles que Carol déclara :

— Il y a un restaurant, pas loin d'ici, où mon père s'arrête souvent pour déjeuner ou dîner. Le *Dobe Hut.* Je me demande s'il n'est pas là. Et puis, nous pourrions nous restaurer par la même occasion.

L'avocat ne répondit pas. Ils atteignirent bientôt un vaste parking où Carol vira, puis arrêta la voiture et sauta à terre. L'avocat regarda autour de lui, puis toucha le coude de la jeune fille.

— Vous voyez cette voiture au phare rouge sur le toit ? dit-il. La police aurait-elle eu la même idée que vous ?

— Oh, répliqua-t-elle, il arrive que les patrouilleurs de la Brigade Routière prennent leurs repas ici.

— Cette voiture, fit-il observer, ne porte pas l'immatriculation de la Brigade Routière.

Elle ne répondit pas et se dirigea vers l'entrée de l'établissement, Mason sur ses talons.

La salle du restaurant était de style espagnol et des bûches flambaient joyeusement dans une immense cheminée noircie par le feu. Une jeune femme en costume typique les accueillit et les conduisit vers une table. Soudain, Carol poussa une légère exclamation et, abandonnant son compagnon, courut plutôt qu'elle ne marcha vers un coin où, installés dans un *box,* trois hommes s'entretenaient, l'air soucieux. Mason la vit s'adresser à l'un d'eux, d'une carrure athlétique, la lèvre supérieure surmontée d'une petite moustache poivre et sel.

— Papa ! s'écria-t-elle. Que fais-tu là ?

Les trois hommes se levèrent cependant que l'avocat s'approchait à son tour de leur table.

— Papa, poursuivit Carol, je te présente Perry Mason, l'avocat.

Mason et Roger Burbank échangèrent une vigoureuse poignée de mains.

— A mon tour de faire les présentations, Miss Burbank, déclara Mason avec un regard ironique en direction des deux autres hommes. Voici le lieutenant Tragg, de la Brigade Criminelle de Los Angeles. Quant à ce monsieur, je présume que c'est un collaborateur du lieutenant.

— George Avon, fit Tragg d'un ton bourru. Expert en empreintes digitales.

— Voulez-vous vous joindre à nous ? proposa Burbank. Un garçon apporta deux chaises et les nouveaux venus prirent place.

Sourcils froncés, Tragg se tourna vers Burbank.

— Il ne vous a pas fallu longtemps, déclara-t-il, pour faire amener des renforts.

L'interpellé parut ne pas comprendre.

— Votre avocat, expliqua Tragg.

— Je crains, rétorqua Burbank, qu'il n'y ait quelque malentendu. Je n'ai pas fait chercher Mr. Mason.

— Mon père est-il au courant de la situation, lieutenant ? demanda Carol à Tragg.

— Il n'y a pas longtemps que je suis là, répondit le policier d'un air évasif. Et, jusqu'à présent, je lui ai simplement posé quelques questions... — Il s'adressa à Burbank :

— Mr. Burbank, il est *important* que nous sachions où vous êtes allé et ce que vous avez fait hier après-midi et hier soir. Vous m'avez répliqué par des pirouettes, mais je voudrais que nous en venions enfin aux choses sérieuses.

— En quoi mes mouvements peuvent-ils intéresser la police ? s'enquit Burbank d'un ton un peu méprisant.

— Allons, messieurs de la Criminelle, ni finasseries, ni cachotteries, intervint Mason. Expliquez à Mr. Burbank ce dont il s'agit et il répondra certainement à toutes vos questions.

— Papa, s'écria Carol, il *faut* que tu dises à ces gens où tu étais ! Tu n'as pas besoin de citer de noms, mais dis-leur où tu te trouvais et à quelle heure. C'est très important.

— Fred Milfield, dit Mason à Burbank, a été assassiné à bord de votre yacht.

Tragg asséna un coup de poing sur la table.

— Et voilà la tuile ! grogna-t-il. Si je n'avais pas été bien élevé, Burbank, j'aurais dû vous emmener au Q.G. dès notre rencontre.

— Milfield assassiné ! s'exclama Burbank.

— Oui, confirma Carol. Et j'ai passé mon après-midi à te chercher.

— En compagnie d'un spécialiste des affaires criminelles que vous vous êtes empressée d'engager, dit amèrement Tragg.

— Il vaut mieux prévenir que guérir, déclara froidement Carol.

— Je ne comprends pas pourquoi quelqu'un aurait voulu assassiner le pauvre Fred, dit Burbank. Est-on certain, lieutenant, qu'il s'agit d'un crime ?

— Papa, dis-leur ce que tu as fait hier à partir du déjeuner, supplia la jeune fille.

— Je voudrais d'abord entendre ce que le lieutenant Tragg a à me dire, déclara Burbank.

— Lieutenant, dit Carol, mon père n'a pas mis les pieds sur son yacht de toute la journée d'hier. Il s'occupe actuellement d'une importante affaire politique sur laquelle le secret le plus absolu doit être gardé. Je ne peux vous donner de détails, mais je puis vous révéler qu'il avait rendez-vous avec quelques très grosses personnalités de Sacramento. L'affaire en question est tellement confidentielle que, même si je vous donnais les noms des intéressés, tous sans exception nieraient avoir assisté à cette réunion. Quant à notre rencontre ici, elle est purement fortuite. Mr. Mason et moi avions faim, et c'est un très bon restaurant.

— Très, très intéressant, fit Tragg, sarcastique. Et vous prétendez qu'aucun de ces hommes ne reconnaîtrait avoir conféré avec votre père ?

— Aucun d'eux n'oserait.

— Ecoutez, dit le policier, de plus en plus maussade, nous avons assez tourné autour du pot. Que votre père me dise ce qu'il a fait hier et nous aviserons.

— Parle-lui, Papa, déclara la jeune fille en tirant son père par la manche.

Burbank ne réagit pas. Traits crispés, sourcils froncés, il contemplait sa fille avec l'air de désapprouver complètement ses initiatives.

— Très bien, fit-elle en semblant prendre une brusque résolution. Puisque tu te tais, c'est moi qui vais parler. Lieutenant, si vous voulez une corroboration de mes dires, vous n'avez qu'à vous rendre au *Surf and Sun Motel,* sur la route de Ventura à Santa Barbara...

— Je connais, l'interrompit Tragg. Et c'est là que cette réunion se serait tenue ?

— Allez-y et vous découvrirez tout par vous-même.

— Alors, Burbank, qu'avez-vous à déclarer ? fit le policier.

— Je ne puis empêcher ma fille de vous raconter ce qu'elle veut, dit Burbank, l'air visiblement irrité. Moi, je continue de tout nier.

— Avez-vous des preuves à me fournir ? demanda Tragg à Carol.

— Vous n'aurez que l'embarras du choix. Il y a, là-bas, des verres et des bouteilles vides, sur lesquels vous n'aurez qu'à relever les empreintes. D'autre part, vous y trouverez le rasoir et le blaireau de papa.

— Bon Dieu ! s'écria Burbank. J'oublie partout ce maudit rasoir !

— Aucune autre preuve, Miss Burbank ? dit Tragg.

— Je me demande, fit Carol, si mon père n'a pas également emporté par mégarde la clé du cottage. Nous ne l'avons pas retrouvée au *motel.*

Burbank glissa machinalement la main dans la poche de son veston et en retira une clé fixée à une grosse plaque de cuivre sur laquelle se détachaient les mots SURF AND SUN MOTEL et le chiffre 14.

Tragg prit l'objet, le tourna et le retourna en tous sens, puis se leva brusquement en disant à Avon :

— En route !

CHAPITRE VII

Avant même d'avoir atteint la porte de son bureau, Mason remarqua, à travers la vitre dépolie, qu'il y avait de la lumière dans son cabinet particulier. Il tira le battant et aperçut Della Street assise devant sa table de travail, la tête reposant sur son bras, profondément endormie.

L'avocat se débarrassa de son manteau et de son chapeau, puis s'approcha à pas de loup de la dormeuse et la contempla un instant avec attendrissement.

— Vous ne vous reposez donc jamais ? dit-il à mi-voix.

La jeune femme se réveilla en sursaut, battit plusieurs fois des paupières, puis, reconnaissant Mason, sourit, l'air toujours ensommeillé.

— Je voulais savoir ce qui s'est passé, déclara-t-elle. Et le seul moyen, c'était d'attendre votre retour.

— Avez-vous dîné, Della ?

— Non.

— Déjeuné ?

— J'ai demandé à Gertie de m'apporter deux sandwiches et une bouteille de lait.

— Il faudra que je veille à ce que vous preniez régulièrement vos repas, déclara Mason. Une responsabilité de plus pour moi.

— Quoi de neuf ? demanda-t-elle.

L'avocat la fixa.

— La seule chose nouvelle, dit-il, est que vous allez rentrer chez vous et vous coucher.

— Quelle heure est-il ?

— Onze heures dix.

— Oh, mon Dieu ! Ça fait une heure que je dors.

— Où est Paul Drake ?

— Il est rentré chez lui.

— C'est un exemple que vous allez suivre. Prenez vos affaires et venez, je vais vous ramener. Vous n'êtes pas raisonnable, Della. S'il y avait eu quelque chose d'important, j'aurais pu vous téléphoner chez vous.

— Racontez-moi ce qui s'est passé, patron. Je meurs de curiosité.

— Eh bien, nous sommes allés, Carol Burbank et moi, dans un charmant *motel* appelé *Surf and sun.*

— Et c'est là que vous avez trouvé Roger Burbank ?

— Non, celui-là, nous l'avons rencontré dans un restaurant, sur la route. D'après ce que j'en sais, il aurait participé au *motel* à une conférence avec quelques grosses légumes de la politique, conférence tellement importante que tous les participants seraient prêts à se parjurer pour nier leur présence là-bas.

— Pourquoi ?

— Je l'ignore, on verra ça plus tard. Pour l'instant en route. — Il aida Della à enfiler son manteau, remit le sien, puis éteignit la lumière et tous deux sortirent dans le couloir. Tout en se dirigeant vers l'ascenseur, il poursuivit : — Nous avons trouvé Burbank en compagnie de Tragg et de George Avon, expert en empreintes. Burbank a commencé par nier s'être trouvé au *motel,* puis, sur les instances de sa fille, a fini par le reconnaître implicitement. Tragg était visiblement gêné... Il sentait bien qu'on lui mettait des bâtons dans les roues, mais n'osait trop ruer dans les brancards, de crainte de s'attirer des ennuis du côté des politiciens.

Ils atteignirent l'ascenseur et Mason appuya sur le bouton d'appel.

— Remarquez bien, Della, qu'il a déjà certaines preuves, dont la clé du cottage que Burbank a tirée de sa poche à un moment que je qualifierais volontiers de psychologique. En tout cas, ça l'a tellement ému, qu'il s'est passé de dîner. Quant à nous trois, c'est-à-dire, Burbank, Carol et moi, nous avons fait un repas succulent — potage de tortue, steak à l'oignon avec salade, *tortilla* et j'en passe.

— Patron, fit Della en se passant la langue sur les lèvres, vous me mettez l'eau à la bouche.

— Eh bien, le moins que je puisse faire, c'est de vous offrir à dîner.

— Mmmm...

— Je vous propose le petit bistro de la 9e Rue. Avez-vous le rapport de Drake, Della ?

— Il est dans mon sac, patron.

— O.K., je le lirai pendant que vous mangerez...

***

Installé dans un coin tranquille d'un petit restaurant français, en face de Della qui découpait d'un air gourmand un épais steak-frites, Mason déplia le rapport de Paul Drake et s'y plongea, après avoir trempé les lèvres dans le whisky-soda qu'il avait commandé.

« *Perry : Voici, résumé, le contenu des rapports de mes hommes et l'explication des photos, ci-joints. Roger Burbank est un financier. Il n'a pas l'habitude de s'intéresser aux investissements de caractère spéculatif. Fred Milfield et Harry Van Nuys ont cependant obtenu de lui qu'il finance le projet Skinner Hills. Votre intuition concernant le pétrole est probablement justifiée. Je ne pense pas que la police ait déjà mis la main sur Van Nuys, mais mes hommes ont fini par le retrouver au Cornish Hotel et ne le perdent pas de vue.*

Le meurtre a été commis à bord du yacht au début de la soirée de vendredi. Le bâtiment mesure une dizaine de mètres de long et sert à Burbank de lieu de détente, plutôt que pour la navigation. Il s'y rend généralement le vendredi soir et y demeure pendant tout le week-end. A marée haute, il lui arrive de taquiner le requin ; à marée basse, il jette l'ancre à l'entrée du port et se consacre à la lecture ou au repos. Parfois, un certain Beltin, son bras droit, vient l'y rejoindre. Milfield s'y est rendu deux ou trois fois. Le yacht est un voilier, sans moteur auxiliaire ; il n'y a pas d'électricité à bord et R. B. s'éclaire à la bougie. De même, la cuisine est faite au feu de bois, ou au charbon. Le corps a été retrouvé côté tribord de la cabine, mais il semble que le crime ait été commis côté bâbord, et le cadavre a dû glisser lorsque le bâtiment s'est penché à marée basse. La mort a été causée par un coup très violent à la nuque et, jusqu'à présent je n'ai pu avoir connaissance de la théorie de la police. Je vous signale toutefois que celle-ci considère comme capitale l'empreinte sanglante d'une chaussure de femme retrouvée sur l'échelle menant à la cabine, et au beau milieu d'un barreau. Vous trouverez plus loin l'adresse du Yacht Club, un plan du bâtiment et de la cabine. Si j'apprends d'autres détails que ceux contenus dans les rapports de mes hommes, je vous les transmettrai sans délai. Della disant qu'elle ignore quand vous rentrerez, je vais me coucher. Paul ».

Mason parcourut les rapports qu'il prit dans l'enveloppe et étudia les photos qui y étaient jointes. Della Street l'observait en silence, tout en tirant sur une cigarette. Ayant fini, l'avocat fronça les sourcils, réfléchit un instant, puis se tourna vers sa secrétaire.

— Je m'excuse, mon petit, mais j'ai un coup de fil à donner... Paul Drake, expliqua-t-il en voyant la mine intriguée de la jeune femme.

Il alla s'enfermer dans la cabine téléphonique et composa le numéro particulier de Drake.

— Perry, s'annonça-t-il quand le détective eut décroché. Avez-vous un crayon sous la main, Paul ?

— Ouais.

— Alors notez : J. C. Lassing. L-a-s-s-i-n-g-. Puis *Surf and Sun Motel,* sur la route de Ventura à Santa Barbara. Ça y est ?

— Ouais.

— Ce Lassing est censé avoir occupé le cottage 14 au dit *motel.* Je voudrais en savoir davantage sur lui.

— Bon, je vais m'en occuper.

— Je viens d'achever la lecture de vos rapports, Paul. Qui a découvert le corps ?

— Un éleveur du nom de Palermo. Il voulait voir Milfield et savait que celui-ci se trouvait sur le yacht.

— Comment est-il monté à bord ?

— Il avait un canot pneumatique avec lui. Il s'en sert dans le secteur de Skinner Hills pour pêcher dans les lacs. C'est un homme près de ses sous et, plutôt que de payer cinquante *cents* pour la location d'une barque, il a préféré charger son canot dans la remorque de sa voiture.

— Pour économiser cinquante *cents ?* fit Mason, incrédule.

— C'est ce qu'il prétend, et le journaliste avec qui j'ai parlé m'a dit que ça semble plausible une fois qu'on a vu le type. J'ai un autre tuyau pour vous, Perry. Van Nuys a déclaré au réceptionniste de son hôtel que, s'il n'avait pas empêché Mrs. Milfield de prendre hier après-midi l'avion pour San Francisco, elle serait aujourd'hui dans un drôle de pétrin. Un de mes hommes traînait dans le hall et a entendu une partie de la conversation.

— Intéressant, dit Mason. Je vais essayer de contacter ce Van Nuys sans tarder. Vous, occupez-vous de Lassing. A propos, Paul, comment se fait-il que la police n'ait pas encore retrouvé Van Nuys ?

— Ces messieurs n'ont encore vu aucun lien entre le crime et les histoires de Skinner Hills. N'oubliez pas que c'est par hasard que nous-mêmes sommes tombés sur la bonne piste. J'aurai sans doute de nouveaux rapports vers deux heures ou deux heures trente du matin, Perry. Laissez-moi dormir d'ici là, et ne me dérangez pas à moins que ce soit vraiment important ; j'ai je ne sais combien de sommeil en retard.

— Entendu, fit Mason en raccrochant.

Il revint vers la table où Della finissait d'écraser sa cigarette dans un cendrier.

— Alors, patron ? fit-elle.

Il s'assit, tira de sa poche la liasse que lui avait remise Carol.

— Qu'en pensez-vous ? demanda-t-il.

— Beaucoup d'argent, dit-elle. Qui vous l'a donné ?

— Carol Burbank. Pour les premiers frais.

— Mmmm... Les frais m'ont l'air d'être élevés.

— C'est mon impression. A quelle heure les banques ferment-elles ?

— Pourquoi ? Ah, je vois, on est samedi.

— Précisément. Or, ici nous avons une liasse de cinq cents dollars venant droit d'une banque. Des billets tout neufs. Ça vous donne une idée...

— Vous voulez dire que Carol l'a retirée de la banque avant...

— Oui.

— Mais elle n'était pas au courant du meurtre avant midi ?

— Je l'ignore, fit Mason en souriant. Je me suis bien gardé de le lui demander. Comment vous y prendriez-vous, Della, pour fabriquer un alibi ?

— Vous pensez que... ?

— Une des meilleures façons, à mon avis, est de prétendre que l'on a assisté à une conférence avec de grosses légumes politiques qui refusent de reconnaître y avoir participé. Et, pour prouver à la police que cette réunion a vraiment eu lieu, d'envoyer le lieutenant Tragg dans un cottage de *motel* plein de bouteilles vides et de mégots, sans oublier le rasoir et le blaireau de Papa.

— J'ai l'impression, dit lentement Della, que Carol Burbank est une jeune personne à tous points extraordinaire.

— C'est également la mienne, fit l'avocat. Mais moi, je pense également que son père ne l'est guère moins. Vous voulez qu'on aille danser quelque part, Della ?

— Non, répliqua-t-elle en secouant la tête. Nous n'avons pas de temps à perdre... Harry Van Nuys. Si nous n'allons pas au *Cornish Hotel* à temps, la police, pour bouchée qu'elle soit, finira par trouver l'adresse.

— La voix de ma conscience, soupira Mason en faisant signe au garçon de lui apporter l'addition.

CHAPITRE VIII

Le *Cornish Hotel* était situé à la limite du quartier des affaires. Le réceptionniste de nuit, un homme d'une soixantaine d'années, contempla Mason et Della Street d'un air nettement désapprobateur après qu'ils l'eurent tiré de la lecture de son journal du soir.

— Vous avez parmi vos clients un certain Harry Van Nuys, dit l'avocat.

— En effet, déclara l'homme. Venant de Las Vergas, Nevada. Chambre 618. Vous désirez lui laisser un message ?

— Je voudrais le voir.

— Vous attend-il, monsieur ?

— Pas exactement.

— Il est tard.

— Je le sais.

Le réceptionniste hésita un instant, puis enfonça une fiche dans le standard et tira à lui une manette.

— Une dame et un monsieur désirent vous voir, annonça-t-il. — Il écouta son correspondant puis se tourna vers Mason. — Quel est votre nom, s'il vous plaît ?

— Mason.

— Mr. Mason, annonça le réceptionniste dans le micro du combiné. Oui...

Il raccrocha, puis :

— Vous pouvez monter, déclara-t-il à l'avocat.

Mason fit signe à Della et tous deux se dirigèrent vers l'ascenseur.

Harry Van Nuys les attendait sur le seuil de la porte. Avant même que l'avocat eût ouvert la bouche, il s'empara de sa main et la serra vigoureusement.

— Mr. Mason? fit-il. Et Mrs. Mason, je présume?

— Miss Street, précisa l'avocat.

— Oh, je vous demande pardon... Entrez, entrez donc. Je m'excuse du désordre... Je ne m'attendais pas à une visite aussi tardive.

Il les fit pénétrer dans sa chambre, débarrassa une chaise des magazines qui l'encombraient, invita Della à prendre place, indiqua un autre siège à Mason. Il se mouvait avec aisance, mais ses yeux mobiles ne cessaient de surveiller ses visiteurs.

— Etes-vous toujours aussi hospitalier envers les visiteurs du soir? demanda Mason. Après tout, vous ignorez le but de notre visite. Si ça se trouve, nous venons vous proposer d'acheter des ouvrages d'art ou d'apporter votre contribution à quelque œuvre de bienfaisance.

— Et si c'était? fit Van Nuys, plus aimable que jamais. Du moment que vous avez pris la peine de vous déranger pour venir me rendre visite, le moins que je puisse faire est de vous recevoir poliment.

— Ma foi..., reconnut Mason. Vous ne savez donc pas qui je suis ni ce que je fais?

— Non.

— Je suis avocat.

— Mason... Mason... Pas *Perry* Mason?

— Mais si.

— J'ai entendu parler de vous, Mr. Mason. Daphné m'a appris que vous lui aviez rendu visite.

— Daphné?

— Mrs. Milfied.

— Ah oui... C'est à cause d'elle que je viens vous voir.

— Vraiment?

— Vous la connaissez bien?

— Certainement.

— Et vous connaissiez son mari ?

— Très, très bien, Mr. Mason.

— Pourquoi, en ce cas, n'a-t-elle pas pris l'avion pour San Francisco vendredi après-midi ?

Van Nuys eut un petit geste de contrariété.

— Je... j'ignorais que quelqu'un fût au courant de cet incident, dit-il.

— Puis-je vous demander une explication ? dit Mason.

— Je crains que ceci n'ait rien à voir avec ce qui vous amène ici.

— C'est une façon polie de me dire que ça ne me regarde pas.

— Non, non, Mr. Mason, ce n'est pas du tout cela. Je voulais simplement vous faire comprendre que je n'ai pas la liberté de *tout* vous révéler.

— Pourquoi pas ?

— En premier lieu, il s'agit de questions personnelles. Je reconnais m'être rendu à l'aérodrome et avoir parlé à Daphné. Mais je doute que Fred, s'il était vivant, eût aimé que je parle à un étranger, fût-il le célèbre Perry Mason, de problèmes intéressant sa vie conjugale.

— Van Nuys, déclara Mason, je n'ai pas l'intention de tourner autour du pot. La police enquête sur un meurtre et ne laissera rien dans l'ombre. Je suis sur la même affaire, et je ne vois pas pourquoi je n'essayerais pas d'en savoir le maximum sur le rôle de tous les protagonistes du drame.

— Puis-je vous demander d'où vous tenez l'information concernant mon entretien à l'aérodrome avec Daphné ? demanda Van Nuys.

— J'ai mes sources. Et je pense que le voyage manqué de Mrs. Milfield à San Francisco joue un rôle dans l'assassinat de son mari.

— Vous vous trompez, Mr. Mason. Et je vous répète qu'il m'est absolument impossible de vous en dire plus long sur ce sujet.

— Alors, fit l'avocat, je n'ai pas le choix. Je vais aller

trouver la police et lui apprendre ce qu'elle ignore probablement.

— Pourquoi agiriez-vous de la sorte ?

— Parce que je représente certaines personnes ayant intérêt à ce que la mort de Fred Milfield soit éclaircie le plus rapidement possible.

— Ce crime m'affecte autant sinon plus que vos clients, mais je vous assure que la vie privée de Mrs. Milfield n'a rien à voir avec.

— Laissez-moi en être juge, une fois que vous m'aurez tout dit.

Van Nuys se passa la langue sur les lèvres, croisa puis décroisa ses jambes, tira un étui à cigarettes de sa poche et le tendit à Della.

— Vous fumez ? demanda-t-il.

Elle prit une cigarette, Mason l'imita, puis Van Nuys, et tous trois fumèrent en silence pendant une minute ou deux.

— Et maintenant que vous avez eu le temps d'inventer une explication, dit l'avocat d'un ton ironique, si vous nous soumettiez le fruit de vos cogitations ?

— J'avoue que j'ai réfléchi à plusieurs explications possibles, reconnut Van Nuys, mais aucune d'elles ne me semble digne d'être retenue.

— Si vous voulez réfléchir davantage..., proposa Mason en se rejetant en arrière sur son siège.

— Non, fit tout à coup Van Nuys du ton d'un homme qui s'est décidé à se jeter à l'eau. Que savez-vous de Daphné ?

— Pas grand-chose. Pour être franc, rien.

— C'est une femme curieuse, une personne émotionnellement instable.

— Que voulez-vous dire par là ?

— Elle est parfois sujette à des crises d'aberration sentimentale.

— Autrement dit, une femme facile ?

— Absolument pas, Mr. Mason. Elle se laisse emporter par ses sentiments, souvent à tort. Elle reprend d'ailleurs vite ses esprits, mais, entre-temps, le mal a été fait. Ses conflits sentimentaux sont brefs, douloureux et violents.

— Et elle est en passe d'avoir un de ces conflits ?

— Elle *était.*

— A cause de vous ?

— A cause de *moi* ? Jamais de la vie, Mr. Mason. Je ne suis qu'un ami de la famille. Elle et moi, on se connaît trop bien pour qu'il puisse y avoir quelque chose entre nous. Je suis simplement l'épaule sur laquelle il lui arrive de pleurer. Et ce rôle me suffit amplement. Non, l'homme en question habite San Francisco. Vendredi, Daphné avait décidé de brûler les ponts. Elle a laissé un mot à Fred, lui annonçant son intention de l'abandonner et de rejoindre l' « autre », et lui demandant d'entamer sans tarder une procédure de divorce. Voilà Daphné toute crachée.

— A vous entendre, ce n'est pas la première fois que pareille chose se produit. A-t-elle l'habitude d'abandonner ainsi son mari ?

— Non, pas l'habitude, mais ça lui est déjà arrivé en pleine crise sentimentale. C'est difficile à expliquer, Mr. Mason, mais... Voyez-vous, Daphné est une femme qui, tout à coup, tombe éperdument amoureuse d'un homme. Alors, elle ne sait plus très bien ce qu'elle fait.

— N'aimait-elle pas son mari ?

— Allons, allons, Mr. Mason. Vous, un avocat, parler de la sorte ? Elle aimait son mari à sa façon, mais la cohabitation ininterrompue engendre parfois la monotonie. Elle ne pouvait aimer *passionnément* Fred trois cent soixante-cinq jours par an. Or, c'est de la passion qu'il lui faut.

— Vous semblez approuver son attitude.

— Je n'ai ni à l'approuver ni à la désapprouver. Daphné est comme elle est. J'essaie simplement de vous brosser un tableau de la situation.

— Bon, je crois que je commence à comprendre. C'est

une instable. Elle allait donc s'envoler pour San Francisco, mais vous l'en avez empêchée. Pourquoi ?

— Parce que je savais qu'elle serait plus malheureuse en s'y rendant qu'en ne s'y rendant pas.

— Et, à la suite de vos explications et de vos arguments, elle est restée à Los Angeles ?

— Oui. Nous avons bavardé à l'aérodrome. Je l'ai raisonnée de mon mieux. Elle a commencé à pleurer, puis s'est rendue à mes arguments, affirmant que j'étais son meilleur ami.

— Est-ce vous qui l'avez ramenée à la maison ?

— Oui. Puis, je suis resté avec elle pendant trente-cinq ou quarante minutes, pour la calmer un peu. Elle en avait besoin, la pauvre.

— Comment avez-vous appris que vous pouviez la retrouver à l'aérodrome ?

— Par suite de circonstances assez particulières.

— J'adore les circonstances particulières, Van Nuys.

— Fred et moi sommes... Je veux dire étions associés.

— Dans le cadre de la Compagnie d'Astrakhan de Skinner Hills ?

— Oui, mais nous avions également d'autres interêts. En outre, je m'occupais aussi d'affaires n'intéressant pas Fred... Mr. Mason, il y a des questions sur lesquelles je n'aimerais pas m'étendre.

— Je crois les connaître. Vous vous intéressez au pétrole, hein ?

— Mr. Mason, ne me faites pas dire ce que je n'ai pas dit. Tout ce que je puis vous révéler, c'est que Fred et moi étions associés. Le jour du voyage projeté de Daphné, Fred m'avait demandé d'aller chez lui pour y prendre une serviette contenant des documents dont il avait besoin. Je m'y suis rendu, aprés qu'il m'eut donné sa clé.

— A quelle heure y êtes-vous arrivé ?

— Aux environs de midi, je crois.

— Pourquoi Milfield n'est-il pas allé chercher ses papiers lui-même ?

— Il déjeunait en ville, avec une importante personnalité.

— Et vous deviez vous revoir dans le courant de l'après-midi ?

— Oui, à quatre heures.

— Savez-vous où il avait l'intention de se rendre après votre rendez-vous et ce qu'il avait l'intention de faire de ses documents ?

— Il voulait les montrer à Mr. Burbank. Celui-ci attendait Fred à bord de son yacht.

— Pourtant, Burbank n'a pas l'habitude d'admettre de personnes étrangères sur son yacht. C'est, en quelque sorte, son lieu de retraite.

— Dans des cas exceptionnellement importants, il lui arrivait de faire une entorse à la règle.

— Supposons qu'il soit prouvé que Roger Burbank ne se trouvait pas sur le yacht vendredi après-midi et n'avait pas l'intention de s'y rendre ?

Van Nuys esquissa un sourire incrédule.

— Je crains qu'il ne soit difficile de le prouver, dit-il.

— De toute façon, on verra ça plus tard. Donc, vous êtes arrivé chez les Milfield et vous avez ouvert la porte avec la clé de votre associé. Que s'est-il passé ensuite ?

— Le mot que Daphné avait laissé était épinglé à un des coussins du sofa.

— Qu'avez-vous fait ? L'avez-vous lu et laissé sur place ?

— Certainement pas. Fred pouvait revenir à l'improviste. J'ai lu le mot et l'ai glissé dans ma poche.

— Cette note, l'avez-vous toujours ?

— Mr. Mason, ne pensez-vous pas que vous allez un peu trop loin ?

— Non.

— Cette lettre, Mr. Mason, affecte le bonheur de...

— Cette lettre, coupa Mason, est une pièce à conviction, et ceci, j'en suis persuadé. Si vous voulez éviter toute publicité, le meilleur moyen est encore de me la montrer.

Van Nuys parut hésiter de nouveau, jeta un coup d'œil

interrogateur à Della, fixa Mason pendant quelques secondes puis, haussant les épaules, alla prendre une serviette sur un fauteuil et en tira une lettre qu'il tendit à l'avocat. Celui-ci, en s'en emparant, remarqua que le papier était effectivement percé de deux trous d'épingle.

Cher Fred,

Je sais ce que tu penseras de moi, d'autant plus que ce n'est pas la première fois que pareille chose se produit. Mais que veux-tu, c'est plus fort que moi. Comme je te l'ai déjà souvent expliqué, je n'arrive pas à contrôler mon cœur.

J'ai longtemps hésité avant de t'imposer cette nouvelle épreuve. Aujourd'hui, je prends une décision grosse de conséquences, mais nécessaire. Pour tout dire, j'aime Doug et c'est la seule chose qui compte. Tu n'y es pour rien, ni moi non plus. Tu m'as constamment manifesté beaucoup d'amour, de tendresse et d'affection et je t'admirerai et te respecterai aussi longtemps que je vivrai. Je me suis sentie affreusement seule ces quatre ou cinq dernières semaines, alors que tu étais obligé de te déplacer pour affaires. Je sais que tu ne pouvais agir autrement. Tu es un être magnifique et je sais que je suis indigne de toi. Mais on ne marie pas l'eau et le feu. Inutile de dire que je n'exigerai pas un sou de toi. Demande le divorce, je ne m'y opposerai pas. Quant au partage de la communauté, tu me donneras ce que tu voudras. Ce que je souhaite, c'est que nous restions toujours bons amis. Au revoir, mon chéri.

Daphné.

— Un modèle du genre, dit Mason.

— Et elle était sincère en l'écrivant, souligna Van Nuys.

— Je n'en doute pas. Qui est Doug ?

— L'homme qu'elle allait rejoindre à San Francisco.

— Quelle précision ! Ce que je voudrais, c'est connaître son nom de famille.

— Mr. Mason, je crois que vous dépassez les bornes.

— Ne dramatisons pas, Van Nuys. Après tout, il s'agit d'un meurtre. Je répète ma question : qui est Doug ?

— Je crains, déclara Van Nuys d'un ton de dignité offensée, de ne pouvoir vous le révéler.

— Très bien, fit Mason en se levant. Et merci de ce que vous avez bien voulu me dire.

— Puis-je espérer que vous considérerez tout cela comme strictement confidentiel ?

— Pas le moins du monde.

— Je pensais pourtant...

— Vous avez dû vous méprendre.

— Et vous avez l'intention de dire à la police... ?

— Tout ce que vous m'avez appris, Van Nuys, oui. La seule chose qui m'en empêcherait serait un argument-massue que j'attends toujours.

— Je vous répète que la vie privée de Fred et de Daphné n'avait rien à voir avec les affaires que je traitais avec mon associé, ni avec sa mort.

— Et le mystérieux Doug réside à San Francisco ?

— Oui.

— A-t-il jamais écrit à Mrs. Milfield ?

Van Nuys détourna son regard.

— Alors, déclara tranquillement l'avocat, il ne faudra même pas vingt-quatre heures à la police pour le découvrir. Après quoi, on demandera à Mrs. Milfield de donner un compte rendu détaillé de ses faits et gestes durant la journée de vendredi et, si elle s'amuse à mentir, je crains qu'il ne lui arrive de sérieux ennuis.

— Ces lettres, la police ne les découvrira jamais.

— Vous voulez dire qu'elles ont été détruites ?

— Je veux dire que la police ne les retrouvera pas.

D'un geste brusque, Mason s'empara de la serviette que Van Nuys avait déposée sur la table.

— Parce que, déclara-t-il, c'est vous qui les détenez, n'est-ce pas ?

— Mr. Mason, vous n'avez pas le droit... ! Cette serviette est à moi !

— Della, dit l'avocat à sa secrétaire, appelez le lieutenant Tragg.

La jeune femme se leva et se dirigea vers le téléphone. Van Nuys attendit qu'elle eût décroché, puis déclara soudain :

— Raccrochez, Miss Street... Mr. Mason, les lettres sont dans la poche droite de la serviette.

Della raccrocha. Mason ouvrit la serviette, prit les lettres, y jeta un coup d'œil, puis les enfouit dans sa poche.

— Qu'allez-vous en faire ? demanda Van Nuys d'un ton inquiet.

— Je vais les étudier, répliqua l'avocat, et si vous avez raison, c'est-à-dire si ces lettres n'ont rien à voir avec le meurtre, je vous les restituerai.

— Sinon ?

— Sinon, je les conserverai... — Mason se dirigea vers la porte, puis s'arrêta et pivota sur ses talons. — Ayant trouvé le mot de Mrs. Milfield, vous vous êtes précipité à l'aérodrome ?

— Oui.

— En oubliant votre rendez-vous avec Milfield ?

— Non, je m'y suis rendu et lui ai remis ses documents. J'ai remarqué qu'il était dans un état de nervosité extrême. Il était d'ailleurs en retard d'une demi-heure.

— Pourquoi ?

— Je ne sais pas très bien, mais Fred m'a dit que quelqu'un colportait des mensonges à son sujet.

— Des mensonges qui pouvaient lui nuire auprès de Burbank ?

— J'en ai eu l'impression. Mais j'étais trop préoccupé moi-même pour lui demander des détails. Je sais qu'il avait rendez-vous avec Burbank. Celui-ci devait le chercher sur le port avec son dinghy à cinq heures précises.

— Donc vous avez vu Milfield à quatre heures trente ?

— Oui. Il avait même peur de faire attendre Burbank.

— Pourquoi était-il en retard ?

— Je l'ignore, mais je me souviens qu'il était terriblement soucieux.

— Et Mrs. Milfield était encore à l'aéroport lorsque vous êtes arrivé ?

— Oui, heureusement. Les avions étaient complets, et elle attendait qu'un passager annulât sa réservation pour prendre sa place.

— Et vous l'avez ramenée ?

— Oui.

— Lui avez-vous parlé de la lettre que vous aviez trouvée ?

— Bien entendu.

— Très bien, déclara l'avocat en posant la main sur le bouton de la porte. Je vais réfléchir à la situation.

CHAPITRE IX

— Quand comptez-vous lire ces lettres, patron ? demanda Della tandis qu'ils s'installaient dans l'auto.

— Demain matin, répliqua Mason.

— C'est loin, se plaignit la jeune femme.

— Vous avez besoin de sommeil, Della, objecta-t-il.

— La curiosité m'empêchera de dormir, dit-elle. Et vous savez très bien que vous-même allez les lire dès que vous m'aurez déposée chez moi.

— Possible, reconnut Mason.

— Alors, pourquoi ne pas le faire tout de suite ?

— Pourquoi pas, en effet ? convint-il en allumant le plafonnier et en tirant de sa poche le paquet de lettres.

Il y en avait une demi-douzaine en tout, écrites à la main. Les premières en date portaient la signature Douglas Burwell, les autres simplement les initiales D. B. L'adresse de l'expéditeur était un hôtel de San Francisco. Elles s'échelonnaient sur une période de six semaines et indiquaient un degré d'intimité croissant.

— Alors ? fit Mason en remettant la dernière dans sa poche.

— On dirait un brave garçon, déclara Della.

— Pourquoi cette appréciation ?

— Eh bien, il m'a l'air de quelqu'un... d'inexpérimenté.

— Que voulez-vous dire par là ?

— Il y a quelque chose de naïf dans ces lettres. C'est

probablement un idéaliste. Il n'aurait jamais été heureux avec elle. Van Nuys avait raison. C'eût été une tragédie pour tout le monde.

— On va voir ce qu'il a à dire personnellement.

— Vous voulez vous rendre à San Francisco, patron ?

— Non, nous allons lui téléphoner.

Ils s'arrêtèrent devant un grand hôtel, s'enfermèrent dans une cabine et demandèrent San Francisco.

— Je regrette, déclara le portier de l'hôtel de Burwell, mais notre client est en voyage pour quelques jours.

— Savez-vous où l'on pourrait l'atteindre par téléphone ? s'enquit Mason.

— Ne quittez pas...

L'avocat se tourna vers Della.

— Je vous parie, dit-il, qu'il se trouve à Los Angeles.

— Allô ? fit la voix à l'autre bout du fil. Vous téléphonez de Los Angeles, n'est-ce pas ?

— Oui.

— Mr. Burwell est précisément à Los Angeles, au *Claymore Hotel*.

— Merci, dit Mason, en raccrochant.

— Alors ? fit Della.

— Je ne me trompais pas, il est ici, au *Claymore*. Je vais y aller, mais vous Della, vous allez rentrer et vous coucher.

— Rien à faire, patron. Je suis avec vous avec vous je reste.

— Vous souffrez d'une nette déformation professionnelle, Della. Après tout, ce n'est qu'une banale histoire de meurtre, comme tant d'autres dont nous nous sommes occupés.

— Meurtre mon œil ! C'est une belle histoire d'amour.

CHAPITRE X

Douglas Burwell était un homme d'une trentaine d'années, grand, aux pommettes saillantes, à la chevelure châtain foncé. Il avait des yeux bleus d'une candeur extraordinaire et paraissait passablement ému, du moins à en juger par l'impressionnant nombre de mégots qui s'entassaient dans les cendriers de sa chambre.

— Je voudrais, déclara Mason, vous poser quelques questions concernant Mrs. Milfield.

— Mais... mais je ne sais rien à son sujet, balbutia Burwell.

— Connaissez-vous Fred Milfield ?

— Je l'ai rencontré.

— Relation d'affaires ?

— Oui.

— Et sa femme, quand l'avez-vous rencontrée ?

— Je... Il y a quelque temps... D'ailleurs, je ne l'ai vue qu'une fois Mr... Comment vous appelez-vous... ?

— Mason.

— Comme je disais, je ne l'ai vue qu'une fois, Mr. Mason. Et puis-je vous demander les raisons de cette irruption chez moi à pareille heure ? Etes-vous de la police ?

— Avez-vous entendu dire que le mari de Mrs. Milfield avait été assassiné ?

— Oui.

— Dans quelles circonstances l'avez-vous appris ?

— C'est elle qui me l'a dit.

— Ah, donc vous l'avez revue ?

— Nullement, fit Burwell en essayant d'arborer un air digne. J'ai téléphoné chez les Milfield, et c'est elle qui m'a répondu et qui m'a mis au courant du drame.

— N'est-il pas vrai que vous êtes *très* lié avec Mrs. Milfield ?

— Mr. Mason, je vous répète que je ne l'ai vue qu'une seule et unique fois. Elle m'a fait l'impression d'une femme très belle, mais si vous me demandiez de vous la décrire, j'en serais totalement incapable. Elle m'est en quelque sorte entrée par un œil et ressortie par l'autre.

— Voilà qui est parfait, répliqua l'avocat. Vous êtes l'homme que je cherchais.

— Que voulez-vous dire ?

— J'ai l'intention de déclencher des poursuites contre certaine personne et vous propose de vous représenter dans cette affaire.

— Vous êtes avocat ?

— Oui.

— Je pensais que vous étiez de la police.

— Pas exactement. Mais la police s'attendra certainement à ce que vous entamiez des poursuites et je suis en mesure d'assurer la défense de vos intérêts.

— Je ne comprends pas.

— Je désire vous assister dans la plainte en faux que vous allez déposer.

— En faux ? Contre qui ?

Mason fouilla dans sa poche et en extirpa les lettres de Burwell.

— Contre la personne qui a imité votre signature sur cette correspondance. Contre la personne qui a adressé à Mrs. Milfield des lettres d'amour en se faisant passer pour vous.

— Mes lettres ? s'écria Burwell d'une voix étranglée.

— *Vos* lettres ? fit Mason d'un ton faussement étonné.

— Oui.

— Je pensais que vous n'aviez vu Mrs. Milfield qu'une seule et unique fois.

— Mr. Mason, où vous êtes-vous procuré ces lettres ?

— Elles m'ont été données.

— Par qui ?

— Quelle importance ? Peut-être par un journaliste. Peut-être par un de mes clients. Je ne puis vous révéler de qui je les tiens, mais je puis, en revanche, vous dire ce que je compte en faire.

— Quoi ?

— Je vais les remettre à la police.

— Mr. Mason, je vous en supplie, ne faites pas ça.

— Pourquoi pas ?

— La police les communiquerait à la presse.

— Je regrette, mais je n'ai pas le droit de cacher aux enquêteurs des pièces à conviction.

— Que voulez-vous dire ?

— Ces lettres prouvent que vous êtes impliqué dans l'assassinat de Fred Milfield.

— Mr. Mason, vous êtes fou, complètement fou ! Quelle relation peut-il y avoir entre ces lettres et...

— Ecoutez-moi, Burwell, coupa l'avocat, je crois que le mieux, pour vous serait de faire preuve de franchise. Mrs. Milfield allait s'envoler pour San Francisco pour vous rejoindre, pour fuir avec vous. Elle en a été empêchée par un ami.

— C'est un ami qui l'en a empêchée ?

Mason acquiesça.

— Non, ce n'est pas vrai ! s'écria Burwell. Elle a simplement changé d'avis. Elle m'a dit au téléphone qu'elle avait décidé de ne pas me rejoindre. Elle... Mr. Mason, est-ce un autre piège que vous me tendez ?

Mason indiqua le téléphone.

— Appelez-la et demandez-le lui.

Burwell tendit la main, puis changea d'avis.

— Non, dit-il. Je ne veux pas... Pas encore.

— Comme vous voudrez, déclara l'avocat. Donc, elle voulait se rendre à San Francisco. Un ami de son mari l'en a dissuadée. Mais Fred Milfield était au courant de votre liaison. Il est allé sur le yacht de Burbank et a été assassiné là-bas. La police croira que vous vous y êtes rendu, pour avoir une discussion et vous accusera de l'avoir tué. Vous...

— Taisez-vous ! hurla Burwell. Ce n'est pas vrai ! Vous n'avez pas de raison de porter des accusations de cette espèce contre moi ! Je n'avais aucun motif d'aller trouver Milfield ! Je suis même heureux de ne pas l'avoir revu. C'était un mari dur et tyrannique. Il ne comprenait pas que sa femme avait besoin de tendresse. Il ne s'intéressait qu'à ses affaires, à son argent. Il négligeait son épouse, et était indigne de toucher le bas de sa robe.

— Burwell, vous avez lu trop de romans d'amour, déclara sèchement Mason. Que ne vous mettez-vous à la page...

Il s'arrêta devant l'air sincèrement malheureux de son interlocuteur.

— Bon, reprit-il, revenons aux affaires sérieuses. Vous êtes donc arrivé à Los Angeles et vous avez contacté Mrs. Milfield. Que vous a-t-elle dit ?

— Eh bien, elle m'a appris que son mari avait été assassiné et m'a recommandé de ne pas chercher à la voir pour l'instant, pour ne pas éveiller les soupçons de la police.

— Quand avez-vous eu cette conversation ?

— Peu après mon arrivée.

— Vous êtes venu par le train ? — Et, sur un signe affirmatif. — Par le « Lark »... ? L'avez-vous appelée de la gare ou de l'hôtel ?

— De l'hôtel.

— A quelle heure ?

— Oh, vers les dix heures du matin.

— Je vois, dit Mason d'un ton neutre. Et elle vous a appris que son mari avait été assassiné ?

— Pas à ce moment-là. Alors, je n'ai pu l'avoir au téléphone.

— Mais, poursuivit l'avocat en remettant le paquet de lettres dans sa poche, vous l'avez eue plus tard ?

— Oui. C'est alors qu'elle m'a annoncé la mort de son mari.

— Vous a-t-elle dit qu'il avait été assassiné ?

— Pas exactement. Elle m'a déclaré qu'il y avait eu un accident, que Milfield était mort et que la police enquêtait.

— Que vous a-t-elle dit d'autre ?

— Elle m'a recommandé de ne pas venir chez elle et de reprendre le prochain train pour San Francisco.

— A quelle heure avez-vous eu Mrs. Milfield au bout du fil ?

— Peu après midi.

— Vous êtes sûr que ce n'était pas aux environs d'une heure ?

— Non, je suis positif.

Mason jeta un coup d'œil en coin à Della, puis poursuivit :

— Et c'est à ce moment-là seulement que vous avez appris la mort de Milfield ?

— Oui.

— Vous a-t-elle donné des détails ?

— Elle m'a dit que le corps avait été découvert sur le yacht de Mr. Burbank et que je ne devais en parler à personne.

— Pourquoi n'êtes-vous pas rentré à San Francisco ?

— Je voulais rester ici, au cas où Daphné aurait eu besoin d'aide.

— Au fond, vous nourrissez l'espoir secret de la revoir, hein ?

— Pour être franc, oui.

— Est-ce que vous connaissez Roger Burbank ?

— Non.

— Je vous contacterai peut-être d'ici peu, déclara l'avocat. Entre-temps, à votre place, je ne chercherais pas à communiquer avec Mrs. Milfield de quelque façon que ce soit.

— Mr. Mason, ne pouvez-vous me dire où elle est ? Ne pouvez-vous me donner de ses nouvelles ? C'est terrible, l'épreuve qu'elle endure. Je...

— Devenez-vous bavard après avoir bu ? coupa Mason.

Burwell eut un rire nerveux.

— Non. Je me sens déprimé et m'endors.

— Alors, suggéra l'avocat, buvez jusqu'à devenir ivre mort, couchez-vous et dormez. C'est le meilleur conseil que je puisse vous donner pour l'instant.

CHAPITRE XI

La région accidentée appelée Skinner Hills baignait dans un chaud soleil californien et l'herbe du printemps ondulait doucement sous le vent léger. Dans un mois, elle prendrait une teinte dorée et la contrée tout entière ressemblerait à un immense tapis de métal précieux. Mason arrêta sa voiture au bas d'une colline au sommet de laquelle montait un étroit sentier et, se tournant vers Della Street, dit :

— Nous voilà pratiquement arrivés.

— Comme c'est joli ! s'exclama-t-elle.

— En effet, convint-il.

— Et où sont les moutons ? demanda la jeune femme.

Mason prit ses jumelles, les promena dans tous sens, puis, finalement, s'immobilisa.

— Là-bas, dit-il en tendant les jumelles à sa secrétaire.

— Ces petits points blancs ?

— Oui.

— Et c'est avec ça qu'on fabrique les manteaux d'astrakhan ?

— Non, ça, c'est des moutons adultes. L'astrakhan, c'est la fourrure des agneaux qu'on tue à peine nés.

— Quelle horreur ! s'écria Della.

— Ce n'est pas très beau, en effet.

— Je l'ignorais. Je crois, patron, que je n'aurai jamais le courage de mettre un manteau d'astrakhan après ce que vous m'avez raconté.

— Il y a des tas de choses qu'on ne ferait pas, si on en connaissait les dessous, fit lentement l'avocat.

— Et maintenant ? fit Della en se secouant.

— Maintenant, nous allons aller trouver Frank Palermo et essayer de lui tirer les vers du nez. Ce sera peut-être plus difficile que je ne pense. Après, nous irons voir nos clients.

— Pensez-vous que Burbank et sa fille vous aient tu certains faits ?

— Si ce que dit Van Nuys est vrai, alors pas le moindre doute. Nous allons maintenant repartir. Je crois que la ferme de Palermo est à moins de dix minutes d'ici.

Il remit le moteur en marche, embraya. L'auto franchit un pont étroit et s'engagea dans un chemin plein d'ornières en soulevant derrière elle un nuage de poussière. Un peu plus loin, à une bifurcation, l'avocat vira à gauche et la route devint encore plus escarpée.

— Diable, fit Della, c'est une jeep qu'il nous aurait fallu. Que savez-vous de ce Palermo, patron ?

— D'après mes tuyaux, c'est un paysan madré, avare et intéressé dont l'haleine empeste à parts égales l'ail et le vin aigre.

— Pas très engageant.

— Il faut de tout pour faire un monde, Della.

Ils roulèrent pendant quelque temps en silence, puis arrivèrent en vue d'un canyon. A leur droite, sur une hauteur, se dressait un chalet de la cheminée duquel s'élevait un mince filet de fumée.

— Ça doit être ça, déclara Mason.

Il appuya sur le champignon et, quelques instants après, l'auto s'arrêta devant une modeste habitation dont la porte s'ouvrit brutalement, cependant qu'un homme se dressait sur le seuil. Il était carré, aussi large que grand, avait des cheveux poivre et sel et de petits yeux noirs et brillants qui jetaient des regards méfiants.

— Je cherche Frank Palermo ! cria Mason.

— C'est loui-même. Qué loui voulez-vous ?

— Je suis Perry Mason, avocat.

Le visage de l'homme s'éclaira, et il s'approcha d'eux.

— Mr. Mason ! s'écria-t-il. Par la Madona ! Grand avocat comme vous vénir rendré visité à pétit éléveur comme Palermo ! Par les saints dou Paradis ! Jé vous parie qué cette bagnolé, elle vous a coûté un drôlé de fric, hein ? Descendez, soyez lé bienvenou. Et la damé aussi. Palermo va vous offrir un verré dé bon vin. Entrez, entrez donc.

— Non, fit Mason, en souriant malgré lui. Nous n'avons malheureusement pas le temps.

— Alors, Palermo vous *apporté* oun verré dé son vin.

— Merci, je ne bois jamais le matin.

Le visage de Palermo se rembrunit.

— Il est pourtant bon, mon vin, déclara-t-il. Bien meilleur qué céloui des restaurants. Trop soucré, l'autre ! Qui c'est, la damé ? Votré femmé ?

— Non, ma secrétaire.

— Secrétaire, eh ? Et qué fait-elle, oune secrétaire ?

— Elle prend mes lettres en dictée.

— Ça alors ! fit Palermo en s'envoyant une tape sur la cuisse. Elle écrit vos lettres, eh ?

Il éclata de rire, rejetant la tête en arrière. Profitant de ce qu'il ne la regardait pas, Della tira subrepticement de la boîte à gants son bloc et un crayon.

— C'est étonnant, dit-elle à mi-voix, mais il est exactement tel que je me l'imaginais, d'après ce que vous m'en avez dit.

— Je suis flatté de ma perspicacité, répliqua l'avocat sur le même ton. Vous sentez son haleine ? j'espère qu'il ne va pas s'approcher plus près, sinon je serais incapable de remanger de l'ail de ma vie.

Palermo s'était arrêté de rire et tendait l'oreille.

— Qué-cé-qué-vous dites ? s'enquit-il.

— Ma secrétaire me rappelait que j'avais un important rendez-vous cet après-midi et que nous devions être en ville le plus tôt possible, expliqua l'avocat.

— Par la madona ! Vous travaillez même lé dimanché ?

— Ça m'arrive.

Palermo examinait d'un air appréciateur la voiture de Mason.

— C'est pour gagner beaucoup dé fric qué vous travaillez lé dimanché ?

— J'en gagne tellement, expliqua Mason, que je suis obligé de travailler les jours de fête pour pouvoir payer mes impôts sur le revenu.

— Par les saints dou Paradis ! C'est pas oune vie, ça ! Jé vous plains, Mr. Mason. Dites, j'ai oune idée. Vous et moi, on va gagner un tas dé fric, et on s'arrangera pour né pas payer oun sou au Fisc. Pour tout dire, j'avais l'intention d'aller vous consoulter.

— Moi ? fit Mason, un peu étonné.

— Oui, au sujet dou terrain.

— Hein ?

— Oui. Jé voudrais que vos clients m'intentent oun procès, et nous déviendrons tous riches.

— Comment ?

— Eh bien, vous prouverez que cetté terré n'est pas à moi.

— Mais elle n'est pas à vous, Palermo, vous n'êtes qu'un occupant sans titre.

— C'est ça. Vous m'attaquez et j'aide à prouver qué c'est ça.

— Vous voulez dire que vous voudriez délibérément perdre le procès ?

Palermo acquiesça énergiquement.

— Pourquoi ?

— Jé vais vous expliquer. Descendez dé voituré et jé vous expliquerai.

L'air dubitatif, l'avocat s'exécuta.

— C'est commé ça, poursuivit Palermo en lui enfonçant amicalement un doigt dans les côtes. On gagnéra tous deux beaucoup dé fric. — Il baissa la voix mais, bien qu'il parlât plus bas, Della pouvait suivre la conversation. — J'ai signé oun contrat avec Milfield pour mon terrain.

— Mais, encore une fois, vous n'avez pas de titre.

— Mais, si Mr. Mason. Vous en faites pas pour moi.

Frank Palermo, c'est oun malin. Vous êtes avocat, mais moi aussi, jé connais la loi. Depuis cinq ans que je souis ici, que jé paye les impôts à mon nom, occoupation vaut titre. Jé sais, car mon frère, il s'est trouvé dans le même sitouation. Et c'est oun malin, mon frère. Jé veux être malin comme loui.

— Je crains que, cette fois, vous n'ayez été trop malin, Palermo.

Pendant un instant, Palermo perdit son sourire, puis une lueur malicieuse brilla de nouveau dans son regard et il reprit :

— Mr. Mason, savez-vous cé qui s'est passé ? Jé vous parie que non ! Avant-hier, oun homme, il est vénou ici, avec grosse bagnole comme la vôtre. Il m'a dit : « Palermo, combien d'argent Milfield a-t-il offert pour votre terré ? »

» Je dis : « Pourquoi vous voulez savoir ? » Il répond : « Parce qué, peut-être, jé peux vous offrir davantage. »

« Bon, jé louis dis. Jé veux bien. Mais Milfield, il m'offre millé dollars de dessous dé tablé, qui né séront pas mentionnés dans lé contrat. »

« Alors, répondit-il, jé peux vous offrir cinq miléé dollars en tout. »

— Et alors ? fit Mason.

— Eh bien, j'ai pas dit à ce typé que j'avais déjà signé lé contrat avec Milfield et que Milfield m'avait déjà donné lé millé dollars dé dessous dé table. Seulement, jé né pensé pas que le contrat soit validé.

— Pourquoi ?

— Parcé qué il n'y avait pas de témoin.

— Mais vous avez signé, n'est-ce pas ?

— Oui.

— Alors, vous vous êtes engagé à vendre.

— Peut-êtré, seulément c'est là qué vous intervenez, Mr. Mason. Milfield doit me payer millé dollars pour ma terré, mais pour me fairé signer, il m'a déjà donné les millé de dessous dé tablé. Si lé contrat, il est annoulé, jé nierai avoir reçou les millé dollars, et Milfield, il peut pas lé prouver.

— Et après ?

— Vous m'attaquez, au nom de votré client, vous gagnez le procès, vous me chassez de ma terré, vous vendez lé pâtourage à l'homme qui m'a offert cinq millé dollars et on partagé — deux millé cinq pour moi et deux millé cinq pour votre client. C'est pas bien ça, non ?

Et Palermo jeta un regard anxieux à Mason, comme s'il essayait de lire dans son âme.

— Je ne pense pas que cette affaire puisse intéresser mon client, répondit l'avocat. Comment s'appelait le monsieur qui vous a rendu visite avant-hier ?

— Par la Madona, il m'a pas donné son nom. Il a promis dé lé diré plous tard. Mais jé souis malin. Pendant qu'il régardait pas, j'ai copié lé nouméro de sa bagnolé, oune grosse bagnolé comme la votré. Quellé importancé de pas connaître lé nom d'oun bonhommé quand on connaît son nouméro de bagnolé, hein ?

— Et ça s'est passé vendredi ? demanda Mason.

— C'est bien ça. Dans l'après-midi.

— A quelle heure ?

— Jé sais pas. Jé porte jamais de montré. Tout au débout de l'après-midi. Jé souis sour, car l'ombre de cet arbre était ici.

Et, de la main, Palermo indiqua un jeune chêne et un endroit par terre.

— Vous avez gardé le numéro de la voiture ? s'enquit Mason.

— Sour ! Jé souis oun malin, commé jé vous l'ai dit. Vous avocat malin, moi éléveur malin. C'est pourquoi, vous et moi, on devrait s'entendre. Vous me chassez d'ici, vous vendez terrain, vous donnez la moitié à votre client et la moitié à moi.

— Et, demanda Mason, est-ce qu'on partage aussi les mille dollars que vous avez touchés de Milfield de la main à la main ?

Palermo fit un pas en arrière.

— Hein ? Dé quoi parlez-vous ? Cé fric, jé l'ai jamais touché, y avait pas dé témoin.

Mason se mit à rire.

L'air vaguement inquiet, Palermo fouilla dans sa poche et en extirpa un bout de papier froissé sur lequel était inscrit, d'une main malhabile, le numéro 8P3035.

Mason hocha la tête.

— Je ne suis pas venu vous voir au sujet du terrain, Palermo. Ça, c'est une affaire qui se réglera entre votre avocat et moi. Le but de ma visite était de vous demander ce qui s'est passé samedi matin.

Les yeux rusés de Palermo se rétrécirent.

— Samédi matin ? S'est rien passé. Jé souis allé sur le yach' pour voir Milfield, et jé l'ai trouvé mort. C'est tout.

— Comment saviez-vous qu'il se trouvait à bord ?

— Parce que je savais.

— Mais encore ?

— C'est loui qui mé l'avait dit.

— Vous lui aviez téléphoné ?

— C'est ça.

— Lui avez-vous parlé de l'autre homme qui était venu vous voir ?

— Bien sour.

— Et quelle a été sa réaction ?

— Il m'a dit d'aller lé voir le lendémain, samedi, sur le yach'. Mêmé qu'il semblait tout chosé.

— S'il vous avait donné rendez-vous sur le yacht, fit observer Mason, sans doute voulait-il définitivement conclure l'affaire.

Palermo s'humecta les lèvres et réfléchit un instant, comme s'il craignait d'en dire trop.

— Conclouré ? Jé voulais pas vendré, pouisqué l'autre individou, il m'offrait davantagé.

— Milfield n'avait-il pas augmenté son offre ? Sinon, je ne vois pas pourquoi il vous aurait dit de venir le rejoindre à bord.

— Non, c'est pas dou tout ça. Et pouis, il n'y a dé témoin à rien.

— Bon, laissons cette question de côté. Donc, vous êtes allé sur le port et là, jusqu'au yacht. Qu'avez-vous trouvé ?

— Eh bien, j'ai vou que le yach' était trop loin pour y aller autrément que par eau. J'ai pris mon pétit canot pneumatique et j'ai ramé. En arrivant dévant le yach', j'ai vou que rien bougeait. J'ai crié, et on m'a pas répondou. Alors, jé mé souis dit : « Mon pauvre Palermo, t'es vénou pour rien, on t'a posé oun gros lapin. » J'ai crié dé nouveau. Toujours rien. C'est là qué jé souis monté à bord.

— Le yacht était ancré ?

Palermo se mit à rire.

— Ancré bien sour, mais c'était la marée bassé et il était penché sour le côté, pris dans la boue.

— Il y avait tout de même de l'eau autour, puisque vous avez dû prendre votre canot pneumatique.

— Sour, y avait assez dé flotté pour mon canot, mais pas pour oun gros machin commé le yach'. Vous croyez pas ? Jé peux vous montrer canot, il est rangé dans la cabane à outils. J'emmèné quelquéfois touristes sour le lac, pas loin d'ici.

— Si, si, je vous crois, mais je voudrais connaître les détails. Une fois à bord, qu'avez-vous fait ?

— Y avait oun échellé qui ménait à la cabiné. Jé souis descendou.

— Le verrou n'était pas tiré ?

— Non.

— Ensuite ?

— J'ai regardé autour dé moi. D'abord, j'ai rien vou. Pouis, j'ai aperçou lé mort. Alors, oune idée m'est vénoue à la tête : « Milfield mort, y a pas dé témoin. Contrat dé touté façon pas validé. »

— Où le corps se trouvait-il ?

— Dans oun des coins dé la cabiné.

— De quel côté ?

— Dé céloui qui était penché, lé plous bas, pardi !

— Qu'avez-vous fait ensuite ?

— Jé mé souis dépêché dé mettré les voiles.

— Avez-vous touché quelque chose ?

Palermo sourit.

— Palermo pas fou, répliqua-t-il.

— Vous avez dû pourtant poser votre main sur le loquet de la porte de la cabine.

— Sour.

— Alors, vous avez dû laisser des empreintes.

— Aucouné importancé. On était samédi matin, et le bonhommé, il avait été zigouillé dépouis longtemps.

— Vous avez certainement laissé des empreintes, Palermo.

L'homme fronça les sourcils et perdit de son amabilité.

— Mr. Mason, qué-cé-qué vous voulez à Palermo ? Loui tendré oun piègé pour garder pour vous tout lé fric, tous les cinq millé dollars ?

— Je veux simplement savoir ce qui s'est passé et dans quelles circonstances vous avez découvert le corps.

— Et moi, grogna Palermo, jé crois que vous voulez mé fairé accouser dou crimé et mé faire pendré pour qué votré client, il ramassé les cinq millé dollars.

Il pivota sur les talons et se dirigea vivement vers le chalet.

— Palermo ! cria Mason. Je voudrais encore vous demander...

L'homme se tourna le visage crispé par la rage.

— Vous, fichez-moi lé camp dé ma propriété. Dès que jé serai rentré, je prendrai mon fousil dé chassé et jé vous tirérai dessous.

Il disparut dans le chalet.

— Je crois, patron, que vous avez obtenu le maximum de renseignements, déclara Della en rangeant précipitamment son bloc et son crayon.

Mason acquiesça, mais ne bougea pas.

— Je pense aussi, poursuivit la jeune femme, qu'il serait prudent de déguerpir avant qu'il ne mette sa menace à exécution.

— Moi, je voudrais me livrer à une petite expérience

psychologique, et voir s'il va vraiment ressortir avec son fusil.

Il attendit trente secondes, mais rien ne bougea dans le chalet.

Alors, Mason tira son mouchoir, s'épongea le front et regagna lentement la voiture.

— Ouf ! fit Della. Et s'il avait tiré ?

— Le principal, c'est qu'il ne l'ait pas fait, répliqua-t-il.

— Patron, dit Della, vous souvenez-vous du numéro de la voiture qu'il vous a montré ?

— Bien sûr, mon petit.

— Alors, dès notre retour en ville, je demanderai à Paul Drake de rechercher son propriétaire.

— C'est inutile, Della. Cette voiture est celle avec laquelle j'ai effectué hier après-midi une longue promenade, la même dans laquelle Carol Burbank m'a emmené au *Surf and Sun Motel* puis au restaurant où j'ai rencontré son père en compagnie de ce cher lieutenant Tragg.

CHAPITRE XII

L'après-midi touchait à sa fin lorsque, se dirigeant vers son bureau en compagnie de Della, Mason s'arrêta devant la porte de celui de Drake et la poussa.

— Paul est là ? demanda-t-il à la réceptionniste.

— Oui.

— Demandez-lui de passer sur-le-champ chez moi.

— Très bien... Ah, mais le voilà.

Effectivement, la porte du bureau privé de Drake s'ouvrit et le détective parut sur le seuil.

— Salut, Perry, dit-il. Il me semblait entendre votre voix. Salut, Della. Qu'y a-t-il, Perry ? Vous avez envie de bavarder avec moi ?

— Ma foi...

— O.K., je vous suis... — Il se tourna vers la réceptionniste. — Frances, si on me téléphone, je n'y suis pour personne, sauf s'il s'agit des hommes engagés sur l'affaire Milfield.

Il suivit Mason dans le couloir et agrippa Della par le bras.

— Alors, beauté ? fit-il. On travaille même le dimanche ?

— La paille et la poutre, rétorqua la jeune femme. Avant de songer à me plaindre, plaignez-vous donc vous-même. Et qu'est-ce que vous attendez pour renvoyer chez elle la pauvre Frances qui doit faire dans les soixante-quinze heures par semaine ?

— Vous êtes impayable ! s'écria-t-il.

Mason ouvrit la porte de son bureau particulier et s'écarta pour laisser passer ses deux compagnons.

— Il y a du nouveau en ce qui concerne le meurtre, Perry, déclara Drake en allant s'installer dans son fauteuil favori. Vous souvenez-vous de cette espèce d'antichambre menant à la cabine ? Elle était indiquée que le plan que je vous ai remis.

— Oui, je m'en souviens.

— D'après le médecin-légiste, Milfield aurait pu se tuer en heurtant de la tête le seuil, bordé de cuivre, entre les deux cabines.

— Autrement dit, il est possible qu'il n'ait pas été délibérément tué, mais qu'il soit mort des suites d'une chute intervenue lors d'une bagarre. Mais alors, ce ne serait plus un assassinat mais un meurtre, voire un homicide par imprudence.

— Ce sera au jury de décider. La police, elle, préfère s'en tenir à la théorie de l'assassinat. L'autre éventualité n'est qu'une hypothèse. Perry...

La sonnerie du téléphone retentit. Mason indiqua l'appareil.

— C'est certainement Frances qui vous appelle, Paul. Répondez.

Le détective obéit, décrocha, écouta quelques instants, prit quelques notes, puis déclara :

— O.K., dites-lui d'attendre au bout du fil.

Il raccrocha et, se tournant vers l'avocat, annonça :

— Nous avons découvert J. C. Lassing, l'homme qui avait loué le cottage 14 au *Surf and Sun Motel.* Et mon employé pense que nous pourrons obtenir de lui une déclaration par écrit.

— Que vous a-t-il appris, votre collaborateur ? s'enquit Mason.

— J. C. Lassing demeure au 6842 La Brea Avenue, à Colton, déclara le détective. En tout cas, il corrobore en tous points le récit de Burbank, à savoir qu'il y a eu réunion au cottage, en présence de quatre personnes d'abord, de six ensuite. Mais, comme on s'y attendait, il refuse de révéler le moindre nom.

— Et votre collaborateur croit pouvoir obtenir de lui une déclaration écrite ?

— Oui. Il a coincé Lassing dans sa voiture, devant un drugstore d'où il m'a appelé. Mais mon homme a préféré me téléphoner d'abord, car un point des déclarations de Lassing ne lui semble pas très clair. Lassing prétend que tout le monde a quitté le *motel* samedi *en fin de matinée.* Ça ne correspond pas à votre hypothèse.

— Non, en effet, reconnut l'avocat. Je pense que Burbank n'a pas quitté le cottage avant quatre ou cinq heures de l'après-midi. Dites à votre collaborateur de vérifier l'élément temps, Paul.

Drake décrocha et composa le numéro de son bureau.

— Frances, dit-il, demandez à Al de bien faire préciser à Lassing l'heure à laquelle ses amis et lui ont quitté le *motel.*

A peine avait-il raccroché que le téléphone sonna de nouveau. Ce fut Della qui répondit.

— Oui, dit-elle. C'est Miss Street... Un instant, ne quittez pas... — Elle plaça sa main sur le micro du combiné et se tourna vers Mason. — C'est Carol Burbank, patron. Elle vous appelle de la Gare Centrale pour savoir s'il y a du nouveau.

L'avocat eut un geste d'impatience.

— Dites-lui que nous attendons une importante communication. Qu'elle, de son côté, reste à la gare, et nous donne le numéro de la cabine où nous pourrions lui téléphoner.

Della transmit le message puis raccrocha.

Moins d'une minute après, le téléphone sonnait de nouveau. Della répondit de nouveau.

— C'est Frances, Paul, déclara-t-elle en tendant le combiné au détective.

Drake écouta en silence quelques instants, puis dit :

— Branchez-moi sur Al, Frances, ce sera plus simple... Oui... C'est vous, Al ? Allez-y... Quoi... ? Zut ! — Il se tourna vers Mason. — Pendant qu'il nous téléphonait tout à l'heure, un incident imprévu est survenu, Perry. Il nous sera désormais impossible d'obtenir une déclaration de Lassing.

— Vous voulez dire que Lassing a filé ? s'écria l'avocat.

— Pas exactement. Il a été épinglé par les flics.

— Al en est sûr ?

— Oui. Il a lui-même pensé d'abord que Lassing avait joué la fille de l'air, mais un gosse qui traînait par là lui a dit avoir vu une voiture de police s'arrêter devant celle de Lassing et des hommes en descendre. Ils ont arrêté Lassing et...

— Alors, bon Dieu, qu'Al ne traîne pas là-bas, ordonna Mason. Dites-lui de revenir immédiatement ici.

Et l'avocat se mit à arpenter la pièce, l'air soucieux.

— Je me demande..., commença Drake après avoir raccroché.

— Un instant ! coupa Mason. Laissez-moi réfléchir.

Pendant deux ou trois minutes il continua de marcher de long en large, puis s'arrêta soudain devant le détective.

— Parmi vos collaborateurs, Paul, avez-vous une femme en qui vous ayez confiance ?

— Une femme comment ? Pin-up, genre garce, ou quoi ?

— Non, quelqu'un d'assez distingué, susceptible de tenir compagnie à une jeune fille du monde pendant vingt-quatre heures par jour, sans jamais la quitter de vue.

— Je connais une personne comme ça, répliqua Drake, mais il me faudra du temps pour la contacter.

— Combien de temps ?

— Quatre ou cinq heures au moins.

— Non, fit Mason en secouant la tête. Trop long. Nous devons agir vite.

— J'en connais une autre, dit Drake, mais je crains que...

— Et moi, intervint Della, je ne ferais pas l'affaire ?

Mason se tourna vers elle et réfléchit.

— Oui-i-i, fit-il enfin, vous pourriez faire l'affaire et,

comme nous n'avons pas d'autre solution, je crains de devoir vous demander ce service.

— De quoi s'agit-il, patron ?

— Vous allez partir d'ici, Della, en ouvrant l'œil. Il ne faut absolument pas que la police vous file. Montez dans un autobus, descendez au troisième ou quatrième arrêt, prenez ensuite un taxi et dites au chauffeur de rouler de façon à semer tout suiveur.

Della acquiesça.

— Une fois que vous vous serez assurée que la route est libre, poursuivit l'avocat, vous vous rendrez à la Gare Centrale. Retrouvez Carol Burbank et dites-lui de ne pas vous poser de questions. De votre côté, ne lui dites rien, mais alors vraiment rien. Montez dans un autre taxi et conduisez-la à l'*Hôtel Woodridge.* Je connais le directeur et le préviendrai entre-temps de ce que j'attends de lui. Dès votre arrivée, inscrivez-vous sous votre vrai nom, mais, en ce qui concerne Carol, vous mettrez simplement son nom de famille, précédé de ses initiales, sans indiquer Miss, Mrs. ou Mr. Ainsi, si la police venait aux nouvelles, elle ne penserait pas à une femme.

— Combien de temps resterons-nous là-bas, patron ?

— Jusqu'à ce que je vous donne de mes nouvelles. Il faut qu'elle disparaisse de la circulation le temps que la situation s'éclaircisse.

Della alla prendre son chapeau et son manteau.

— Ça ne m'a pas l'air très catholique, opina Drake. Pour tout dire, je n'aime pas du tout ça.

— Moi non plus, fit Mason d'un ton irrité, mais je ne peux attendre quatre ou cinq heures.

— Pourtant...

— Non, Paul, il faut agir sur-le-champ. Vous entendez ? *Sur-le-champ !*

Della s'était arrêtée devant la porte et observait les deux hommes.

— Alors, patron ? fit-elle.

— Allez-y, Della, dit l'avocat. Et bonne chance.

CHAPITRE XIII

Arrivée à la gare, Della trouva Carol Burbank devant une cabine de téléphone dans la salle des pas perdus.

— Bonjour, Miss Street, déclara la jeune fille en tendant la main. Mr. Mason m'a appelée tout à l'heure pour m'annoncer votre venue.

Della acquiesça.

— Oui, répliqua-t-elle. Il m'a donné des instructions très précises.

— C'est ce qu'il m'a dit.

— Il insiste absolument pour que vous agissiez selon ces instructions.

— Bien entendu, fit Carol en se mettant à rire. Si j'engage un avocat, c'est pour suivre ses conseils.

— Dites-moi, Miss Burbank, votre père s'est-il rendu dans la région de Skinner Hills vendredi après-midi pour voir Frank Palermo ?

— *Vendredi* après-midi ?

— Oui.

— Bien sûr que non. Vendredi était le jour de la réunion au *Surf and Sun Motel.* Vous ne vous le rappelez pas ?

— Nous allons quitter la gare, déclara Della sans répondre à la question, et vous vous retirerez de la circulation pour quelque temps. Ordre exprès du patron. Venez...

Elles se dirigèrent vers la station de taxis.

— Si vous permettez, déclara Carol en s'arrêtant soudain, je vais mettre mon manteau et mes gants. Je n'ai pas chaud. Il a fait beau de toute la journée mais, depuis une demi-heure, il fait plutôt frais.

— Je vais vous tenir votre sac, proposa Della.

Carol Burbank enfila son manteau puis ouvrit son sac et en tira une paire de gants. Au même instant, un bout de carton tomba par terre. Della s'en aperçut sur-le-champ et observa la jeune fille, mais celle-ci n'avait rien remarqué. Elle eut un geste pour poser son pied sur l'objet mais, avant qu'elle l'eût achevé, un homme s'était précipité vers elles, avait ramassé le rectangle de carton et le lui avait remis.

Della le remercia d'un sourire.

Carol finit d'enfiler ses gants et les deux jeunes femmes reprirent leur chemin vers la sortie. Comme Della marchait un peu en retrait, elle en profita pour examiner dans le creux de sa main le ticket que Carol avait laissé tomber. C'était un reçu de la consigne de la gare.

— Oh, Miss Burbank, fit-elle tout à coup, je viens de songer à un coup de fil que je devais passer à une amie à qui j'avais donné rendez-vous. Attendez-moi un instant, je n'en ai pas pour longtemps.

Elle courut vers la cabine publique la plus proche et s'y enferma. Puis composa le numéro direct de Mason.

— Oui ? entendit-elle la voix de l'avocat.

— C'est Della, patron.

— Tout va bien, Della ?

— Oui.

— Vous n'avez pas été suivie ?

— Non.

— Vous en êtes sûre ?

— Certaine.

— Carol est-elle avec vous ?

— Oui.

— Vous êtes déjà à l'hôtel ?

— Non, toujours à la gare. Ecoutez, patron, elle a tout à l'heure ouvert son sac pour prendre ses gants et, sans s'en apercevoir, a laissé tomber un reçu de consigne. A moins que je ne me trompe, elle a dû déposer un paquet ou une valise à la gare.

— Où est ce reçu ?

— En ma possession.

— Le sait-elle ?

— Non, elle n'a rien remarqué.

— Bon. Avez-vous une enveloppe sur vous ?

— Oui.

— Mettez-y votre reçu et inscrivez mon nom dessus. Une fois à l'hôtel, laissez l'enveloppe à la réception où je viendrai la prendre, après quoi je passerai à la gare pour retirer ce qui a été déposé. Vous avez bien compris ?

— Oui.

— O.K., Della, faites bien attention.

— Je n'y manquerai pas, patron.

— A bientôt, alors.

Della raccrocha, glissa le reçu dans une enveloppe qu'elle tira de son sac et sur laquelle elle inscrivit le nom de Perry Mason, puis quitta la cabine et rejoignit Carol Burbank.

Les deux jeunes femmes atteignirent la station de taxis.

— Où voulez-vous aller ? demanda le chauffeur.

— Au *Woodridge,* fit Della.

— Montez.

Della jeta un coup d'œil alentour. Personne de suspect dans les parages. Un peu plus loin un homme ouvrait la portière d'un autre taxi ; Della l'entendit donner une adresse : « Au coin de la 11e Rue et de Figueroa. »

— Allons-y, dit-elle à Carol.

Le trajet fut effectué en silence. A plusieurs reprises, Della regarda par la vitre arrière, sans rien voir d'inquiétant — ni voiture de la police, ni auto qui semblât les filer.

Devant le *Woodridge,* la jeune femme paya le taxi puis, en compagnie de Carol, s'engouffra dans le hall de l'hôtel et se dirigea vers la réception.

— Bonjour, mesdames, dit le préposé en leur tendant deux fiches.

Della prit un porte-plume tout en disant à voix basse :

— Je viens de la part de Mr. Mason.

— Ah, oui, fit le réceptionniste. Vos chambres ont été retenues, Miss Street. Votre nom est bien Miss Street, n'est-ce pas ?

— Oui.

Della remplit sa fiche puis se tourna vers Carol.

— Je vais également remplir la vôtre, dit-elle. Quel est votre second prénom ?

— Edith, mais je ne l'emploie pour ainsi dire jamais.

— Aucune importance, déclara Della en inscrivant *C. E. Burbank* sur la seconde fiche.

Le réceptionniste appela un chasseur.

— Hep là ! Appartement 1214.

Della tira de son sac l'enveloppe contenant le ticket de consigne.

— Un message pour Mr. Mason, expliqua-t-elle. Il passera le prendre. Voulez-vous veiller à ce qu'il...

— Vous pouvez compter sur moi, déclara le préposé. Va-t-il venir personnellement ou bien enverra-t-il quelqu'un ? Nous...

Un homme venait de pénétrer dans le hall et se dirigeait à grands pas vers la réception.

— Eh là, vous..., commença-t-il en s'adressant au réceptionniste.

— Un instant, dit celui-ci en regardant par-dessus l'épaule de Della. Dès que j'aurai fini avec ces dames.

Della tourna la tête et sentit son cœur s'arrêter. L'homme n'était autre que celui qu'elle avait vu à la Gare Centrale, celui qui, en montant dans un taxi, avait indiqué comme destination le coin de la 11e Rue et Figueroa Street.

Avant qu'elle ait eu le temps de reprendre ses esprits, l'homme montrait au réceptionniste un insigne doré. Puis, d'un geste décidé, il s'empara de l'enveloppe que le préposé tenait toujours à la main.

— Qu'est-ce que ça signifie ? s'écria Della.

— Ça ? fit l'individu d'un ton insolent. Ça veut dire

que vous avez toutes deux rendez-vous au Q.G., mes poulettes. Un taxi nous attend à la porte... — Il se tourna vers un flic en uniforme qui l'avait rejoint. — Les perds pas de vue, Mac, pendant que je vois ce qu'il y a dans cette enveloppe... Tiens, tiens... Très intéressant... Dis donc, Mac, tu vas emmener les petites au Q.G.

Et il saisit par le bras Carol Burbank qui semblait frappée de stupeur.

— J'ai l'impression, déclara en se dégageant la jeune fille, que vous ignorez qui je suis.

L'homme eut un sourire ironique.

— Vous vous faites des illusions, Miss Burbank, dit-il. C'est parce que, précisément, nous savons qui vous êtes que j'agis de la sorte. Allez, suivez-moi et pas de rouspétance, à moins que vous ne préfériez voyager dans un panier à salade.

— Je désire téléphoner à mon avocat, fit Della d'un ton plein de dignité.

— Sûr, sûr, rétorqua le policier d'une voix sarcastique, mais vous le ferez plus tard. Surtout pas de scandale. Je connais votre espèce... Oui, parfaitement... Une fois au Q.G. vous pourrez appeler le Président, si ça vous chante.

— Je veux l'appeler d'ici, dit Della, et, s'il y a du scandale, c'est vous qui en subirez les conséquences.

Elle fit un pas en direction des cabines téléphoniques, mais le détective l'empoigna par le bras.

— O.K., fit-il. Puisque vous êtes une forte tête, je vous mets en état d'arrestation. Là, ça vous plaît... ?

CHAPITRE XIV

— J'insiste ! répétait Della Street. Je veux appeler mon avocat...

La pièce dans laquelle elle était enfermée avec Carol Burbank sentait le moisi et le désinfectant, et le vieux flic qui les gardait paraissait fort ennuyé d'avoir été tiré de la lecture de son illustré.

— J'ai le droit de téléphoner à mon avocat, poursuivit la jeune femme.

Le policier ne répliqua pas et tourna la page de son magazine.

— Je désire téléphoner à Mr. Perry Mason qui est à la fois mon avocat et mon employeur, insista Della.

L'air furieux, le flic jeta son magazine sur son bureau et foudroya la jeune femme du regard.

— Ça ne vous mènera à rien, ma poulette, grogna-t-il.

— Comme il vous plaira, mais s'il vous arrive un pépin, vous n'aurez qu'à vous en prendre à vous, je vous aurai prévenu. Je sais qu'il existe certaine loi...

— Vous vous expliquerez devant le Lieutenant.

— Eh bien, conduisez-moi chez le Lieutenant.

— Il vous recevra quand ça lui chantera.

— Et moi, j'exige d'être reçue tout de suite. Entretemps, c'est avec vous que je m'explique, et je vous signale que vous êtes en train de violer la loi.

— Je ne fais qu'obéir à des ordres.

— Possible, mais vous risquez de vous attirer des

ennuis. Perry Mason n'aimera pas du tout la façon dont vous me traitez.

— Ma petite, le Lieutenant se moque éperdument de Perry Mason et de ce qu'il aime ou n'aime pas.

— Et quand Maître Mason n'aime pas quelque chose, il va généralement très loin. Il pourrait même porter plainte contre vous.

Le flic asséna un coup de poing sur la table.

— Contre *moi ?* s'écria-t-il.

— Parfaitement.

— Sous quel prétexte ?

— Parce que vous m'empêchez de téléphoner à mon avocat, parce que vous me détenez illégalement ici, alors que, d'après la loi, vous êtes obligé, dès l'arrestation, de conduire le prévenu devant le magistrat le plus proche.

— Hé là, fit l'agent d'un ton un peu inquiet, vous n'êtes pas en état d'arrestation.

— Alors pourquoi me détient-on ici ?

— Le D.A. veut vous parler.

— Mais moi, je n'ai aucune envie de parler au D.A.

— Tant pis pour vous.

— Vous voulez dire que je me trouve ici en qualité de témoin ?

— Si vous voulez. Nous enquêtons sur un crime.

— Si vous voulez me détenir comme témoin, rétorqua Della, il vous faut une injonction du tribunal. Et si je suis arrêtée, vous devez, sans tarder, me faire comparaître devant un juge qui décidera s'il n'y a pas lieu de me mettre en liberté provisoire.

— Eh bien, vous comparaîtrez devant un magistrat en temps voulu. On est dimanche, vous savez, et les juges ont le droit de se reposer comme les autres.

— Comme vous voulez, dit la jeune femme, mais, lorsque Mr. Mason aura porté plainte contre vous, ne me reprochez pas de ne pas vous avoir mis en garde. Vous m'avez l'air d'un brave homme et il y a probablement longtemps que vous servez dans la police. Ce serait pénible si on vous en chassait sans droit à la retraite.

— Dites, ma belle, je ne fais qu'obéir à des ordres.

— Vous avez reçu l'ordre de m'empêcher de téléphoner à mon avocat ?

— On m'a dit de vous garder ici.

Della eut un sourire de triomphe.

— Vous savez très bien ce que vos supérieurs hiérarchiques diront si on les met sur la sellette. Ils déclareront : « Nous avons donné à cet agent l'ordre de faire attendre ces jeunes femmes dans l'antichambre. Nous pensions qu'elles étaient prêtes à y demeurer de leur plein gré, pour apporter leur témoignage. Nous ne lui avons certainement pas dit de s'opposer à ce que l'une d'elles contacte son défenseur. Nous pensions qu'il était au courant de la loi. S'il l'a violée, il l'a fait de sa propre initiative. Nous ne sommes pas responsables ; nous ne lui avions jamais donné d'ordres à cet effet... »

Le flic se gratta la tête.

— Vous parlez comme ma femme, déclara-t-il enfin d'un ton mal assuré.

Il se leva, se dirigea vers la porte d'un pas pesant, l'entrouvrit et jeta un coup d'œil dans le couloir.

— Bravo, Miss Street, fit tout bas Carol Burbank. Vous avez semé le doute dans son cœur.

— Psssst, Jim ! fit l'agent.

Et il sortit, en tirant le battant sur lui.

Les deux jeunes femmes restèrent seules pendant cinq minutes, puis la porte se rouvrit et le flic se dressa sur le seuil.

— Le Lieutenant va vous recevoir, annonça-t-il.

— Je n'ai rien à lui dire, déclara Della.

— Je croyais que vous vouliez téléphoner.

— C'est exact.

— Eh bien, il n'y a pas de téléphone dans cette pièce. Si vous voulez appeler votre avocat, il vous faudra aller dans une autre, où il y en a.

— Ah...

— Alors, venez avec moi.

Della et Carol se levèrent et suivirent un long couloir. Le flic qui les précédait ouvrit une porte et s'écarta.

— Les voilà, Lieutenant, dit-il.

Tragg était assis devant une table de chêne. Trois chaises et quelques classeurs constituaient le reste de l'ameublement de son bureau.

— Prenez place, mesdames, déclara-t-il d'un ton poli.

— Lieutenant, dit Della Street, je désire téléphoner à Mr. Mason.

— Tout à fait d'accord, fit Tragg, mais je voudrais d'abord poser quelques questions.

— Et moi, rétorqua la jeune femme, je préfère contacter mon employeur avant de répondre à quelque question que ce soit.

— Miss Street, dit Tragg d'un ton aimable, je n'ai absolument rien contre vous, mais lorsque votre patron vous charge de lui tirer les marrons du feu, il ne me laisse guère le choix. Maître Mason s'est rendu coupable d'une grave violation de la loi et c'est avec votre concours que j'entends le prouver.

— Vous vous moquez de moi, Lieutenant. Qu'est-ce que c'est que cette nouvelle histoire ? Maître Mason violant la loi ? Ridicule. Que lui reprochez-vous exactement ?

— Eh bien, avec votre complicité, Perry Mason a tenté de faire obstruction à la loi.

— Hein ? fit Della, stupéfaite.

— Vous êtes allée chercher Miss Burbank à la gare et l'avez conduite dans un hôtel pour la soustraire aux recherches.

— La soustraire aux recherches ? Vous n'êtes pas fou, Lieutenant ? J'ai, en effet, emmené Miss Burbank au *Woodridge,* mais je l'ai inscrite sous son vrai nom. Est-ce une façon de soustraire quelqu'un aux recherches ? Vous n'aviez qu'à consulter le fichier de l'hôtel pour la retrouver, en cas de besoin.

— Oui, je sais, vous avez agi très intelligemment, mais vos intentions n'étaient pas plus pures pour ça.

— Prouvez-le ! fit Della d'un ton de défi.

— L'ennui, reconnut Tragg, est que cela m'est impossible, puisque, effectivement, vous avez inscrit Miss Burbank sous son véritable nom.

— Alors, quelle est la raison pour laquelle vous nous détenez ici ?

— Miss Street, vous oubliez quelque chose. A défaut d'enlèvement de témoin, je pourrais vous faire inculper de recel de pièce à conviction.

— Que voulez-vous dire ?

D'un geste théâtral, Tragg ouvrit un des tiroirs de son bureau et en extirpa une paire de chaussures de femme.

— Je suppose, fit-il d'un ton ironique, que vous n'avez jamais vu ça avant ?

— Jamais, déclara vivement Della.

Le lieutenant arborait toujours son sourire moqueur.

— Malheureusement pour vous, Miss Street, dit-il, vos déclarations ne concordent pas avec un certain nombre de faits bien précis. Perry Mason a conseillé à Miss Burbank d'envelopper ces chaussures dans du papier et de déposer le paquet à la consigne de la Gare Centrale. C'est ce qu'elle a fait, vous remettant ensuite le reçu. Après quoi, vous avez pris ledit reçu, l'avez mis dans une enveloppe et inscrit dessus le nom de Perry Mason.

Della réfléchit quelques secondes.

— Ces chaussures, fit-elle enfin, qu'est-ce que c'est ?

Tragg prit une loupe et s'absorba dans l'examen d'une d'elles.

— Ces chaussures, dit-il, sont une...

La porte s'ouvrit brusquement et Perry Mason fit irruption dans la pièce.

— O.K., Lieutenant, déclara-t-il. La comédie a assez duré.

Un agent passa la tête par l'entrebâillement de la porte.

— Vous l'avez fait chercher, Lieutenant ? s'enquit-il.

— Certainement pas, rétorqua Tragg.

L'agent empoigna l'avocat par le bras.

— Dehors ! fit-il d'un ton menaçant. Ouste !

— Lieutenant, dit vivement Della, Maître Mason est mon défenseur. Si vous décidez de m'inculper, c'est lui qui parlera en mon nom. Si l'on ne m'accuse de rien, je n'ai, en tant que témoin, rien à déclarer. Et je continuerai de me taire tant que vous ne m'aurez pas fait remettre une citation en bonne et due forme.

— En tant que représentant légal de ces deux jeunes dames, déclara solennellement Mason, j'exige qu'elles soient conduites sans délai devant le magistrat le plus proche.

Tragg esquissa un sourire ironique.

— Quel dommage, Mason, dit-il, que ce soit un dimanche, je crains fort que vous ne trouviez pas de juge avant demain matin et...

— Erreur, Lieutenant, fit l'avocat. Le juge Roxmann m'a fait la faveur de se rendre au tribunal. Il examinera l'affaire dès notre arrivée.

Tragg se leva, repoussant lentement son fauteuil en arrière.

— Je devais m'y attendre, dit-il d'une voix lasse.

Mason fit signe à Della et à Carol.

— Nous sommes libres ? demanda Carol à Tragg.

Le lieutenant ne répondit pas. Mason ouvrit la porte et laissa passer les deux jeunes femmes.

— Maître, déclara Tragg d'un ton menaçant, je vous garantis que Miss Burbank sera de retour ici avant minuit.

L'avocat ne réagit pas.

— Et cette fois-là, acheva le lieutenant d'un air déterminé, elle y restera, c'est moi qui vous le dis.

CHAPITRE XV

Installée dans le bureau de Mason, Carol Burbank croisa les jambes et alluma une cigarette.

— Mr. Mason, dit-elle, j'ai entendu les dernières paroles du Lieutenant Tragg. Combien de temps ai-je encore à rester en liberté ?

— Je l'ignore, fit l'avocat. Ça dépend. Si votre père a été arrêté, et s'il a fait des déclarations...

— Je ne pense pas qu'ils réussissent à prendre mon père au piège. Seulement...

— Seulement quoi ? dit Mason.

— Rien... — Carol tira sur sa cigarette, rejeta la fumée par les narines et parut se perdre dans une profonde méditation.

— Miss Burbank, fit l'avocat, et si vous me disiez la vérité, pour changer ?

— J'ai peur, dit-elle. Je...

— Bon Dieu, Miss Burbank, je suis votre avocat et tout ce que vous me direz demeurera confidentiel !

— Si je vous raconte tout, vous ne voudrez plus nous représenter.

— Ne dites pas de sottises. Une fois que j'ai accepté, je ne lâche pas mes clients. *Je n'en ai pas le droit.* D'autant que maintenant Della est également impliquée dans l'histoire. Il faut que je la tire de là. Racontez-moi tout.

— Mr. Mason, ce sera atroce. Je vous supplie de ne pas me juger avant que j'aie fini.

L'avocat eut un geste d'impatience.

— Cela remonte, commença Carol, à un événement qui s'est passé il y a des années, mais qui a, depuis, hanté l'existence tout entière de mon père. Daphné Milfield était au courant. Et elle s'en est servie pour obliger mon père à financer le projet Skinner Hills.

— Chantage ?

— Pas exactement... Si, au fond c'est du chantage.

— Appelons-le donc chantage et continuons.

— Je dois avouer, poursuivit la jeune fille, que Daphné Milfield a agi de façon très habile. Un jour elle a téléphoné à mon père, disant qu'elle désirait renouer une vieille amitié. Elle a ajouté qu'elle tairait son secret, et qu'il pouvait compter sur sa discrétion absolue. Une semaine ou deux plus tard, Fred Milfield est entré en scène. Il a rendu visite à mon père, lui a fait part de ses plans, a souligné combien sa femme serait heureuse qu'il les réalisât.

— Après ?

— Milfield a parlé à mon père d'un de ses associés, un certain Van Nuys, que je ne connais d'ailleurs pas. C'était soi-disant une histoire d'élevage de moutons. En réalité, ainsi que vous l'avez deviné, il s'agissait bel et bien de pétrole. On a procédé à des sondages, sous prétexte de creuser des puits, et l'on en a trouvé.

— Donc Milfield et Van Nuys sont riches ?

— Ils le seraient devenus. Seulement un incident s'est produit. Mon père, qui avait consenti à financer l'entreprise Milfield-Van Nuys, est un homme à principes. Et il déteste par-dessus tout qu'on le trompe. Or, il a découvert que Fred Milfield le roulait.

— De quelle façon ?

— Lorsqu'il achetait un terrain, il ne payait officiellement que le prix indiqué sur le contrat. En réalité, une partie de la somme était versée de la main à la main. C'est là que Fred a voulu se sucrer. Il donnait, disons mille dollars de la main à la main, mais prétendait ensuite, devant mon père, qu'il en avait versé cinq mille. Comme il n'y avait rien d'écrit, il était difficile de démasquer les malversations.

— Et comment votre père a-t-il découvert le pot aux roses ?

— Il a beaucoup d'intuition et, une fois sa méfiance éveillée, il ne lâche plus. C'est dans ces conditions que, vendredi après-midi, il s'est rendu à Skinner Hills, pour voir Frank Palermo. Il s'est fait passer pour un autre spéculateur. Il s'est adressé justement à Palermo parce qu'il avait pris des renseignements sur le bonhomme et qu'il savait qu'en cas de besoin, Palermo n'hésiterait pas à trahir Milfield, si ça pouvait lui rapporter davantage d'argent.

— Qu'a-t-il découvert ?

— Que Palermo n'avait touché que mille dollars de dessous de table.

— Et quelle somme Milfield avait-il citée à votre père ?

— Quatre mille.

— Que s'est-il passé ensuite ?

— Mon père était furieux. Il a essayé de contacter Milfield et, n'y parvenant pas, lui a laissé un message, exigeant que Milfield le rappelle au Yacht Club. Et puis, il était aussi contrarié par l'accident. Milfield avait emprunté un de ses camions sans son autorisation. Or, ce véhicule était immatriculé au nom d'une des sociétés de mon père. Celui-ci redoutait que quelque avocat malin comme vous ne s'en aperçût et ne donnât l'éveil. Officiellement, mon père n'avait aucun lien d'affaires avec Milfield et Van Nuys, mais si la presse en avait eu vent, les gens se seraient demandé pourquoi Milfield se servait d'un camion appartenant à mon père et auraient pu deviner la vérité.

— Revenons aux événements de vendredi, Miss Burbank. Que s'est-il passé après que votre père eut passé son coup de fil ?

— Eh bien, Milfield a rappelé mon père vendredi en fin de matinée et celui-ci lui a annoncé ce qu'il venait d'apprendre. La situation de Milfield était très délicate, car mon père pouvait déposer une plainte et tous les projets du ménage Milfield s'écroulaient comme un château de cartes.

— Quelle a été la réaction de Milfield ?

— Il a promis de faire venir Palermo sur le yacht pour lui faire avouer qu'il avait menti, mais il n'a pas réussi à convaincre mon père, celui-ci sachant pertinemment que, pour cent dollars, Palermo serait prêt à se parjurer deux fois plutôt qu'une.

— Et Milfield s'est rendu à bord du yacht ?

— Oui, mais il n'y est arrivé qu'en fin d'après-midi.

— Et après ?

— Il a discuté avec mon père et, de fil en aiguille, ils en sont venus aux mains. Milfield a porté un coup de poing à mon père mais celui-ci a riposté et l'a mis K.O. Alors, mon père a pris le dinghy et, après avoir lâché le canot de Milfield à la dérive, a débarqué sur le port. Il avait l'intention d'aller trouver la police pour faire arrêter Fred.

— Pourquoi ne l'a-t-il pas fait ?

— Il m'a téléphoné. J'ai aussitôt sauté dans ma voiture et me suis précipitée pour voir mon père afin de le persuader de ne rien faire avant de savoir si Milfield n'était pas grièvement blessé. Ensuite, j'ai pris le dinghy et suis allée sur le yacht.

— Qu'y avez-vous trouvé ?

— Milfield gisait par terre, mort. Sa tête avait dû heurter la barre métallique du seuil qui sépare les deux cabines.

— Pourquoi n'avez-vous pas aussitôt averti la police ?

— Je ne pouvais pas, à cause du passé de mon père.

— Que voulez-vous dire ?

— Il y a des années de ça, il s'était bagarré avec un type, à la Nouvelle-Orléans. L'homme était tombé contre un coin de table et s'était fracassé le crâne. Il n'y avait pas de témoins, mais mon père s'en est tiré en prétextant la légitime défense. Si, après la mort de Milfield, on avait ressorti ce premier incident, c'en était fait de mon père, car la police n'aurait jamais voulu croire à un autre accident et l'aurait accusé d'avoir délibérément assassiné ses deux victimes.

Mason se mit à arpenter le bureau.

— Vous connaissez le reste, poursuivit Carol. J'ai rejoint mon père pour lui annoncer la mort de Milfield. Il a failli se tuer, ce soir-là. Alors, je me suis occupée de lui fabriquer un alibi. Je savais que Lassing et un groupe d'amis se trouvaient au *Surf and Sun Motel.* Il avait téléphoné à mon père vendredi soir puis, de nouveau, samedi matin. Je me suis rendue au *motel* en compagnie de Judson Beltin. Nous projetions d'atteindre Lassing, mais il était déjà parti.

— Qu'avez-vous fait ?

— Beltin a payé le loyer pour vingt-quatre heures de plus en prétendant avoir fait partie du groupe Lassing.

— Et ensuite, vous avez « oublié » dans le cottage le blaireau et le rasoir ?

— Oui.

— Et votre père, que faisait-il pendant ce temps-là ?

— Il se cachait au restaurant où nous l'avons retrouvé.

— Comment la police a-t-elle appris qu'elle l'y découvrirait ?

— A une heure prévue, Judson Beltin a passé au Q.G. un coup de fil anonyme. J'avais remis à mon père la clé du cottage et nous avions convenu qu'il la tirerait de sa poche au moment voulu.

— Miss Burbank avez-vous essayé de soudoyer Lassing ?

— Pas exactement, mais... J'ai téléphoné à Lassing et l'ai prié, comme service personnel, de refuser de répondre à toute question concernant les gens avec qui il s'était trouvé au *motel,* et de prétendre que c'étaient d'importantes personnalités politiques. Je croyais ainsi impressionner les enquêteurs.

— Bon, fit Mason, je commence enfin à y voir clair. Revenons maintenant en arrière. Combien de temps après l'altercation entre votre père et Milfield êtes-vous allée sur le yacht ?

— Une heure environ, peut-être un peu plus. Je me trouvais à une *cocktail-party*. C'est là que mon père m'a téléphoné.

— A quelle heure y êtes-vous arrivée ?

— Je ne sais pas, mais il faisait encore jour.

— Vous avez sauté dans le dinghy et êtes allée directement au yacht ?

— Oui.

— Et vous avez tout de suite découvert le corps de Milfield ?

— Oui.

— A quel endroit précis ?

— Sa tête reposait à quelques centimètres de la barre métallique du seuil. Je vous en ai déjà parlé.

— Le cadavre, lorsque la police est venue sur le yacht, se trouvait à un autre endroit.

— Je sais. C'était la marée basse et le yacht s'est penché. Le corps a dû glisser jusqu'au coin où la police l'a découvert.

— Comment expliquez-vous l'empreinte sanglante ?

— J'ignorais que j'avais marché dans du sang. Je ne m'en suis aperçu qu'une fois engagée sur les marches. Alors, je me suis arrêtée, ai enlevé mes chaussures et ai poursuivi ma route en bas.

— Ensuite ?

— J'ai repris le dinghy mais, avant de le remettre en marche, j'ai lavé mes chaussures dans l'eau de mer. Seulement le sang avait rapidement séché, et il y avait encore quelques taches. Alors, j'ai pris un bout de papier, ai fait un paquet et suis allée le déposer à la consigne de la Gare Centrale.

— Vous êtes certaine que le corps de Fred Milfield se trouvait près du seuil ?

— Oui, je le vois encore, la tête à quelques centimètres, un ou deux — pas plus —, de la barre de cuivre.

— Bon Dieu ! fit Mason. Il doit bien y avoir une issue. Il faut que je vous tire de là tous les trois, vous, votre père et surtout Della.

Il continuait d'arpenter le bureau, cependant que Carol le suivait du regard.

Tout à coup, l'avocat s'approcha du téléphone et posa la main sur le combiné.

— Ce n'est pas Della qu'on filait, déclara-t-il. C'est vous. En fait, votre père et vous avez été, dès le début, les suspects numéro un. Et il y a certainement eu plus d'un détective d'engagé. Lorsque le ticket de la consigne est tombé de votre sac, un homme l'a ramassé et l'a remis à Della. Cet homme, l'avez-vous observé ?

— Je me souviens, en effet, avoir vu un individu se baisser et tendre quelque chose à votre secrétaire.

— Pourriez-vous me le décrire ?

— Il paraissait âgé d'une cinquantaine d'années et portait un complet gris.

— Pourriez-vous m'en donner un signalement plus précis — la teinte de ses cheveux, la couleur de ses yeux ?

Carol secoua la tête.

— Non, malheureusement. Mais je me souviens qu'il avait un drôle de nez, un nez épaté.

— Brisé peut-être ?

— Oui, ça pourrait être ça.

— Grand ?

— De taille moyenne.

— Et sa carrure ?

— Il avait les épaules larges.

Mason composa le numéro de Paul Drake.

— Paul, dit-il, je voudrais des tuyaux complets sur un détective, faisant probablement partie de la Brigade Criminelle. Il est possible qu'il ait été boxeur dans sa jeunesse. Actuellement, il a une cinquantaine d'années, est de taille moyenne, a les épaules larges, possède un complet gris. Laissez tomber le reste pour l'instant et occupez-vous de ça.

— Quel est son rôle dans l'affaire ? demanda Drake.

— C'est lui qui a remis à Della le ticket de consigne que Carol venait de laisser tomber. Je voudrais prouver que c'était un policier et que c'est donc un représentant de la police qui a personnellement donné à Della une pièce à conviction compromettante pour elle. Un coup monté, en quelque sorte. Vous me comprenez ?

— Si je vous comprends ! Mais ce ne sera pas facile. Je...

Au même instant, on frappa énergiquement à la porte. Mason raccrocha vivement, traversa le bureau et ouvrit la porte.

Le lieutenant Tragg et deux agents en uniforme se tenaient devant lui. Tragg arborait un sourire ironique.

— Je vous ai prévenu que je viendrais récupérer votre cliente, Mason, dit-il. Et cette fois, il ne vous servira à rien de la faire comparaître devant un magistrat, car Miss Burbank a été officiellement inculpée.

L'avocat se mordit la lèvre.

Carol se leva et s'approcha de lui.

— Mr. Mason, déclara-t-elle, il faudrait que vous retrouviez papa...

— Ne vous faites pas d'illusion, l'interrompit-il. Du moment que vous êtes inculpée, ça signifie qu'il est lui-même...

— ... entre nos mains, acheva aimablement Tragg.

— Exactement, déclara Mason.

CHAPITRE XVI

Les débats préliminaires du procès Burbank, père et fille, avaient attiré la foule des grands jours. Ces débats étaient, de l'avis de tous, plus importants encore que le procès proprement dit, qui ne viendrait que plus tard, et le Ministère Public avait délégué le D.A. en personne, Hamilton Burger, assisté d'un jeune adjoint du nom de Maurice Linton. Ce fut à ce dernier qu'échut le périlleux honneur d'ouvrir le feu, sous le regard débonnaire mais alerte du juge Newark.

— Bien que pareille procédure ne soit pas habituelle dans des débats préliminaires, dit Linton en s'adressant au magistrat, je demande à la Cour l'autorisation de faire une déclaration sur le fond, étant donné le caractère indirect de certaines de nos preuves, étant donné également l'intention nettement avouée de la défense, vu le nombre de ses témoins, d'essayer d'obtenir à ce stade un non-lieu en faveur des accusés.

» Votre Honneur, le Parquet entend établir que Roger Burbank a eu une vive altercation avec le défunt le soir du drame, à la suite de quoi sa fille, Carol, a tenté de lui procurer un faux alibi, en incitant des témoins à se parjurer. Nous entendons prouver que les empreintes relevées dans un cottage de *motel* où, soi-disant, s'était tenue une importante conférence politique, appartenaient à Miss Burbank et à un certain Judson Beltin, employé de son père. Nous entendons enfin prouver que Roger

Burbank, qui a fait beaucoup de boxe dans sa vie, et qui est un individu d'une force peu commune, a attiré sa victime sur son yacht pour l'y assassiner.

Le juge se tourna vers Mason.

— Désirez-vous faire une déclaration, Maître ? s'enquit-il.

Mason secoua la tête.

— La Défense préfère attendre, Votre Honneur.

— Très bien, fit le juge. En ce cas, le Ministère Public peut faire comparaître son premier témoin.

Burger fit appeler le lieutenant Tragg qui brossa un tableau complet des activités de la police : découverte du corps, identification du même, position du cadavre, emplacement du yacht, etc.

— Vous pouvez contre-interroger, déclara le D.A. en se tournant vers Mason.

— Pas de questions, fit laconiquement l'avocat.

Burger fronça les sourcils, mais ne dit rien et annonça au juge son intention de procéder à l'interrogatoire d'un expert en topographie. Celui-ci vint, porteur d'un plan du port et de nombreux schémas et diagrammes, notamment ceux de l'intérieur du yacht, du pont et de la cabine. Le D.A. le questionna longuement, s'arrêtant aux plus petits détails, tout en jetant de temps à autre des regards de triomphe à la Défense. Quand il eut fini, il s'adressa de nouveau à Mason :

— A vous, dit-il.

Mason, qui pianotait depuis quelques instants sur la table, secoua de nouveau la tête.

L'expert fut suivi d'un photographe qui montra à la Cour des épreuves représentant l'intérieur de la cabine, le corps de la victime, une vue générale du yacht, puis le même yacht vu sous divers angles.

— Vous pouvez contre-interroger, dit Linton qui avait relayé Burger.

— Pas de questions, rétorqua Mason.

Burger fit alors appeler Mrs. Daphné Milfield.

La jeune femme fit son entrée vêtue de noir des pieds à

la tête et froissant nerveusement entre ses doigts un mouchoir bordé de dentelle.

Le D.A. l'escorta jusqu'au fauteuil des témoins, l'aida à prendre place. Apparemment, il comptait impressionner la Cour.

— Vous êtes bien la veuve de Fred Milfield, la victime ? demanda-t-il d'un ton plein de compassion.

— Oui, répliqua-t-elle d'une voix à peine audible.

— Mrs. Milfield, connaissez-vous Roger Burbank, un des inculpés ?

— Oui.

— Depuis combien de temps ?

— Une dizaine d'années.

— Savez-vous si Roger Burbank avait prié votre mari de le rencontrer en un endroit convenu le jour où Mr. Milfield a trouvé la mort ?

— Oui, Mr. Burbank nous a téléphoné.

— A quelle heure ?

— Vers onze heures et demie du matin.

— Qui a répondu ?

— Moi.

— Que vous a déclaré Mr. Burbank ?

— Ayant appris que Fred était sorti, il m'a dit qu'il fallait absolument qu'il le voie. Le mieux, a-t-il précisé, serait que Fred vînt le retrouver sur le yacht, à cinq heures de l'après-midi. Il a ajouté que c'était une chose extrêmement importante.

— Avez-vous transmis ce message à votre mari ?

— Oui, vingt minutes plus tard environ.

— De quelle façon ?

— Mon mari m'a appelée pour m'annoncer qu'il ne rentrerait pas dîner et qu'il ne serait pas là avant minuit.

— Quelle a été sa réaction ?

— Il m'a déclaré qu'il s'était déjà entretenu avec Mr. Burbank par téléphone et...

— Objection ! coupa Mason. Le témoin ne peut parler qu'en son nom propre, or ceci est de l'ouï-dire.

— Objection valable, décréta le juge Newark.

— Vous pouvez contre-interroger, déclara Burger à l'avocat.

Mason scruta le témoin.

— Est-ce à Los Angeles que vous avez fait la connaissance de Roger Burbank, Mrs. Milfield ? demanda-t-il.

— Non.

— Où en ce cas ?

— A la Nouvelle-Orléans.

— Vous le connaissiez avant de rencontrer votre mari ?

— Oui.

— Sauf erreur, vous aviez perdu Mr. Burbank de vue pendant quelques années ?

— Oui.

— Et puis, un beau jour, vous lui avez téléphoné ?

— Oui.

— Vous lui avez rappelé votre vieille amitié ?

— Oui.

Une lueur de triomphe brilla dans le regard de Hamilton Burger.

— Que lui avez-vous dit exactement, Mrs. Milfield ?

Elle jeta un coup d'œil au D.A., reçut en réponse ce qui pouvait passer pour un acquiescement, puis répondit :

— Je lui ai donné l'assurance que je ne révélerais à personne les ennuis qu'il avait eus à la Nouvelle-Orléans, où il a tué un homme d'un coup de poing.

Le juge fronça les sourcils.

Sans élever la voix, Mason reprit :

— Mais, malgré cette promesse, vous en avez fait part à votre mari ?

— Je le lui avais déjà dit.

— L'aviez-vous également révélé à un associé de votre mari du nom de Harry Van Nuys ?

— Oui.

— L'aviez-vous raconté à d'autres personnes ?

— Non.

— N'aviez-vous pas révélé cette histoire à votre mari et à Van Nuys pour obliger Roger Burbank à financer certains de leurs projets ?

— Absolument pas !

— Alors, dans quel but le leur avez-vous raconté ?

— Parce que j'estimais que mon mari avait le droit de tout savoir.

— Et Van Nuys, pensiez-vous qu'il avait aussi le droit de tout savoir ?

— Je crains, Votre Honneur, que l'interrogatoire ne s'égare un peu, intervint Hamilton Burger.

— Plaise à la Cour, rétorqua Mason, je pense qu'il n'en est rien. Le tribunal n'aura pas manqué de constater l'empressement avec lequel le témoin s'est hâté de révéler une page du passé de Roger Burbank. Cela prouve que Mrs. Milfield a une dent contre un des inculpés et...

— Cela n'est que trop naturel, objecta Burger. Après tout, cet homme a assassiné son mari.

— Primo, Mr. le District Attorney, ceci reste encore à prouver, répliqua l'avocat. Secundo, la défense a le droit de faire ressortir que le témoin dépose sans esprit d'objectivité, et uniquement dans l'intention de nuire à Roger Burbank.

— Répondez à la question, dit le juge à Mrs. Milfield. Expliquez à la Cour pour quelles raisons vous estimiez que Harry Van Nuys avait le droit de connaître un secret qui ne vous appartenait pas.

— Eh bien, c'était l'associé de mon mari.

— Et c'est pour cela qu'il avait le droit de *tout* savoir ? s'enquit Mason d'un ton sarcastique.

— En un sens, oui.

— Parce que vous estimiez que ce renseignement avait une valeur commerciale, une valeur marchande ?

— Non ! Absolument pas.

— Mais le renseignement en question a été utilisé comme tel, n'est-ce pas ?

— Par qui ?

— Par votre mari et par Harry Van Nuys.

— Ceci n'est qu'ouï-dire, objecta Burger. Le témoin ne peut savoir de ce qui s'est passé entre son mari et l'inculpé que ce que le premier a bien voulu lui dire. Or, s'agissant d'une conversation entre mari et femme, la Cour n'a pas à la connaître.

— La question est de savoir si Mrs. Milfield était au courant, trancha le juge.

— Je... je l'ignore, répondit Mrs. Milfield.

— Mais, poursuivit Mason, votre mari ne connaissait pas Burbank avant votre coup de téléphone, n'est-ce pas ?

— C'est exact.

— Ni Harry Van Nuys ?

— Non, en effet.

— Pourtant, peu après que vous ayez mis les deux hommes au courant de l'incident de la Nouvelle-Orléans, ils se sont arrangés pour convaincre Burbank de financer leur entreprise.

— Je ne pense pas que Mr. Van Nuys ait jamais rencontré Burbank.

— Autrement dit, c'est votre mari qui s'est occupé de la question financement ?

— Oui.

— Et la seule raison pour laquelle votre mari est allé voir Mr. Burbank était d'obtenir de l'argent de lui ?

— Non, il s'agissait d'un soutien financier.

— Ne jouons pas sur les mots. Mr. Burbank a donné de l'argent à votre mari, oui ou non ?

— Oui-i-i...

— Mais alors, fit Mason en pointant vers le témoin un index accusateur, vous n'avez certainement pas manqué de dire à votre mari qu'en tirant des avantages financiers d'un fait que vous lui aviez révélé, il se livrait à un chantage ?

Hamilton Burger bondit sur ses pieds.

— Votre Honneur, s'écria-t-il, j'objecte avec la dernière des énergies. Non seulement il s'agit toujours d'ouï-dire, mais encore la Défense essaie à nouveau de faire répéter au témoin des conversations qui se sont tenues entre époux, donc un fait irrecevable en justice.

— Objection valable, décréta le juge.

— Très bien, fit Mason. Et maintenant, Mrs. Milfield,

parlons, si vous le voulez bien du jour où l'on a découvert le corps, c'est-à-dire de certain samedi. Ce jour-là, vous vous trouviez chez vous. Je suis passé aux environs de midi. Vous veniez de pleurer.

— Objection ! s'exclama le D.A. Même si c'était vrai, il pouvait s'agir d'une question totalement étrangère à l'affaire qui nous occupe.

— Objection repoussée, dit Newark. Répondez, Mrs. Milfield.

— Oui, reconnut-elle. J'avais pleuré.

— Et, reprit l'avocat, pendant que je me trouvais là, le Lieutenant Tragg est arrivé à l'improviste.

— C'est exact.

— Vous m'avez annoncé sa venue. Sur quoi, je vous ai appris qu'il appartenait à la Brigade Criminelle et vous ai demandé si quelqu'un de votre connaissance avait été assassiné. Alors, vous m'avez répondu : « Non, à moins que ce ne soit... », puis vous vous êtes arrêtée.

— C'est également exact.

— Donc, vous pensiez que la victime était probablement votre mari ?

— Oui.

— Qu'est-ce qui vous faisait penser à ça ?

— Parce que... parce qu'il n'était pas rentré à la maison de toute la nuit, et aussi parce que je savais qu'il avait eu des ennuis avec Mr. Burbank. Celui-ci l'avait accusé de le rouler.

— Ce sera tout, dit Mason.

— Mon témoin suivant, annonça le D.A., s'appelle J. C. Lassing.

Lassing, un homme d'une soixantaine d'années, s'avança, déclina son identité puis prit place en évitant soigneusement les regards de Roger et Carol Burbank.

— Mr. Lassing, commença Burger, vous vous occupez d'affaires de pétrole.

— Oui.

— Le samedi où le corps de Fred Milfield a été

découvert, vous vous trouviez à Santa Barbara ou dans ses environs immédiats, n'est-ce pas ?

— Oui.

— La veille au soir, c'est-à-dire vendredi, vous étiez au *Surf and Sun Motel,* sur la Nationale de Los Angeles à San Francisco ?

— Oui.

— L'un des accusés vous a-t-il téléphoné pendant que vous étiez au *motel ?*

— Oui.

— Alors, je vais vous demander de me répéter la teneur de la conversation que vous avez eue.

— Objection, fit Mason.

— Pourtant, Maître, si la conversation s'est tenue entre le témoin et l'un des inculpés..., fit observer le juge.

— Votre Honneur, objecta l'avocat, le Ministère Public a le droit de demander au témoin s'il a reconnu la voix des inculpés ; il peut également demander à Mr. Lassing si l'un d'eux lui a fait quelque aveu concernant le crime. Mais je ne pense pas qu'on puisse obliger le témoin à révéler ce qu'a pu lui dire Mr. ou Miss Burbank.

— Je pense que vous avez raison, dit Newark après avoir réfléchi.

— Mais, Votre Honneur, protesta le D.A., je tiens simplement à prouver que l'un des inculpés était au courant du séjour de Mr. Lassing au *Surf and Sun Motel.*

— Ceci a déjà été établi, rétorqua le juge, le témoin ayant reconnu que l'un d'eux l'avait appelé à l'endroit où il se trouvait.

Hamilton Burger se mordit la lèvre, puis revint à la charge.

— Vous-même, Mr. Lassing, aviez-vous précédemment téléphoné à Mr. ou Miss Burbank ?

— Oui.

— A leur domicile ou au bureau de Mr. Burbank ?

— Au bureau. C'est Mr. Judson Beltin qui m'a répondu.

— Et qui est Mr. Beltin ?

— C'est le secrétaire de Mr. Burbank, et aussi son bras droit.

— Parfait. Qu'avez-vous dit à Mr. Beltin ?

— Je lui ai demandé où en étaient les contrats intéressant les champs de pétrole de Skinner Hills. Je lui ai annoncé que j'étais au *Surf and Sun,* que j'y resterais jusqu'à samedi midi et que j'aimerais qu'il se mît en relation avec son patron le plus rapidement possible, pour me donner une réponse.

— Je ne vois vraiment pas le but de votre interrogatoire, M. le Procureur, dit le juge. Est-ce pour prouver que Mr. Beltin a subséquemment appris à l'un des inculpés que Mr. Lassing se trouvait à ce *motel ?*

— Oui, Votre Honneur.

— Nous perdons notre temps, fit sèchement Newark. j'aimerais que vous posiez au témoin des questions plus pertinentes.

Le D.A. rougit de colère.

— Très bien, Votre Honneur... Mr. Lassing, à quelle heure avez-vous quitté le *Surf and Sun Motel ?*

— Une première fois vendredi après-midi, à cinq heures moins le quart environ, puis également le samedi.

— Vous n'étiez pas seul, puisque vous aviez loué un cottage de quatre pièces ?

— Non, en effet. J'avais avec moi un expert en forage, un géologue, un financier et un autre homme qui s'intéressait à mes activités.

— Parfait, dit Burger. Et maintenant, Mr. Lassing, je vais vous poser une question très importante. Après avoir quitté le *motel,* avez-vous eu une conversation avec l'un des inculpés, concernant votre séjour au *Surf and Sun ?*

Lassing hésita une fraction de seconde puis répliqua :

— Oui.

— Avec qui ?

— Avec Carol Burbank.

— Que vous a-t-elle dit ?

— Eh bien, fit le témoin, Miss Burbank m'a demandé,

si l'on m'interrogeait, de refuser de divulguer les noms des personnes avec qui je m'étais trouvé au *motel.*

— Quelle a été votre réaction ?

— Je le lui ai promis.

— Est-ce cela que vous appelez incitation de témoins à se parjurer ? demanda Mason au D.A.

— Oui ! s'écria Burger.

— Je ne pense pas que Miss Burbank ait demandé à Mr. Lassing de faire un faux serment, dit doucement l'avocat.

— Et moi, je crois le contraire !

— Messieurs ! intervint le juge. Maître, si vous avez l'intention de réfuter les assertions du Parquet, vous pourrez le faire tout à l'heure, lors du contre-interrogatoire. Mr. Burger, vous pouvez continuer.

— J'en ai fini avec le témoin, Votre Honneur.

— Mr. Mason, demanda Newark, avez-vous des questions à poser à Mr. Lassing ?

— Oui, Votre Honneur... Mr. Lassing, dites-nous si, à un moment quelconque de votre conversation avec Miss Burbank, celle-ci vous a demandé de dire à la police quelque chose d'inexact ou de faux ?

— Non. Elle m'a simplement prié de me taire, d'insister sur le caractère mystérieux de mon séjour au *motel.*

— Vous a-t-elle prié, au cas où vous seriez cité comme témoin, de dire autre chose que la vérité ?

— Non.

— Donc, elle vous a tout bonnement dit d'observer le maximum de discrétion ?

— Oui.

— Vous a-t-elle prié d'affirmer que son père *était ou n'était pas au motel ?*

— Non.

— Ce sera tout, Mr. Lassing. Je vous remercie.

Se tournant vers le D.A., Mason ajouta :

— Si c'est cela que vous appelez incitation de témoin à se parjurer, je pense, M. le Procureur, que vous pouvez abandonner l'accusation contre Miss Burbank.

— Les déclarations du témoin, objecta Burger pendant que Lassing quittait la salle d'audience, prouvent qu'elle a essayé de fabriquer à son père un alibi fictif.

— Elle n'a pas demandé à Lassing de dire quoi que ce soit concernant son père.

— Oui, mais elle a voulu nous faire croire qu'il se trouvait au *Surf and Sun.*

— C'est aux services du D.A. de faire preuve de bon sens et de ne pas croire à ce qui n'est pas, fit Mason d'un ton ironique. Mais de là à suborner un témoin, il y a un grand pas que Miss Burbank n'a certainement pas franchi.

— Je n'ai pas l'intention de poursuivre cette discussion, dit Burger d'un ton maussade. Je prouverai à la Défense que Miss Burbank s'est bien rendue coupable d'un crime. Plaise à la Cour, je désirerais rappeler le lieutenant Tragg.

— Pas d'objection, dit l'avocat.

Tragg reprit place au fauteuil des témoins.

— Lieutenant, demanda le D.A., le samedi où le corps de Fred Milfield a été découvert, avez-vous, oui ou non, eu une conversation avec Carol Burbank ?

— Oui.

— Où ça ?

— Dans un restaurant appelé *Dobe Hut.*

— Qui, outre vous deux, était présent ?

— Mr. Mason, Mr. Roger Burbank et Mr. Avon, membre de la police de Los Angeles.

— Sur quoi la conversation a-t-elle porté ?

— Carol Burbank a déclaré que son père avait assisté à une conférence politique. Elle a ajouté, apparemment à son intention que, puisque la situation était grave, il n'avait pas à le nier.

— A-t-elle dit que cette conférence s'était tenue au *Surf and Sun ?*

— Pas exactement, mais implicitement.

— Ne pouvez-vous vous rappeler ses paroles exactes ?

— Malheureusement non, dit Tragg.

— Et Roger Burbank, qu'a-t-il dit ou fait ?

— Il a glissé sa main dans la poche et en a tiré la clé du cottage 14 du *motel* en question.

— Vous a-t-il déclaré y avoir été ?

— Il a certainement voulu me le faire croire.

— Ceci, intervint Mason, est une conclusion du témoin et devrait donc être rayée du compte rendu sténographique des débats.

— C'est également mon opinion, décréta le juge. Le témoin est officier de police et devrait pouvoir se rappeler les termes exacts des déclarations de l'inculpée plutôt que de nous dire ce qu'elle a voulu lui faire croire.

— Eh bien, reprit Tragg, après avoir tiré cette clé, Burbank me l'a remise.

— Et, plus tard, demanda Burger, vous a-t-il accompagné au *Surf and Sun* et identifié un rasoir qui s'y trouvait ?

— Oui.

— Et Carol Burbank vous a-t-elle déclaré que vous pouviez trouver le rasoir en question au cottage 14 du *motel ?*

— Oui.

— Vous pouvez contre-interroger, dit le D.A. en se tournant vers Mason.

L'avocat fixa Tragg, puis, d'une voix suave, demanda :

— Miss Burbank vous a parlé du rasoir, mais vous a-t-elle dit que son père avait été au *motel ?*

— Je ne me souviens pas exactement de ce qu'elle a dit, mais elle a insinué que c'était le cas.

— Autrement dit, vous avez déduit qu'il avait pu s'y trouver parce que son rasoir y avait été laissé ?

— Si vous voulez.

— Parfait. Et Roger Burbank vous a accompagné au *motel ?*

— Oui.

— Et identifié son rasoir ?

— Oui.

— Et c'était le sien ?

Tragg bougea sur son siège, l'air mal à l'aise.

— Je ne sais pas, dit-il enfin.

— Précisément ! fit sèchement l'avocat. Il vous a dit que son rasoir était là-bas. Sa fille vous a dit la même chose. Vous y avez retrouvé ledit rasoir, mais vous n'avez rien fait pour prouver que l'objet appartenait effectivement à l'inculpé.

— Ce rasoir avait été abandonné là-bas pour nous induire en erreur.

— Lieutenant, je vous fais grâce de vos déductions. Dites-nous simplement si vous avez fait quelque chose pour établir de qui ce rasoir était la propriété.

— Non. J'ai assumé que c'était celui de Mr. Burbank, puisqu'il l'avait identifié.

— Sur quoi, poursuivit Mason, vous avez voulu obliger Mr. Burbank à reconnaître qu'il s'était trouvé au *motel,* et ce malgré ses dénégations.

— Il niait d'un air peu convaincu. J'ai pensé qu'il mentait.

— Mais il niait ?

— Oui, mais je le répète, très mollement.

— Mollement ou pas, cela n'a pas d'importance. Le point capital est qu'il n'a cessé de nier, n'est-ce pas ?

— Oui.

— Votre Honneur, déclara Mason d'un ton solennel en se tournant vers le juge, j'ai le regret de constater que l'accusation repose sur des bases bien fragiles. En somme, un de mes clients est poursuivi parce que la police *pensait* qu'il mentait.

Newark réprima un sourire.

Mason revint à Tragg.

— N'est-il pas vrai, Lieutenant, que Mr. Burbank vous a dit que, si vous lui demandiez publiquement s'il avait été au *motel,* il le démentirait ?

— Oui, mais de la façon dont il l'a dit, j'ai déduit qu'il était allé au *Surf and Sun.*

— Je vois, dit l'avocat. En somme, vous avez *interprété* une attitude ?

— Non, c'est ainsi que j'ai compris ce qu'il a dit.

— Heureusement pour la Justice, Lieutenant, la Cour juge sur ce qui a été dit et non sur ce que vous avez compris.

— Sa fille, Carol, a déclaré qu'il y était allé.

— Pardon, fit Mason, j'étais présent à l'entretien. Elle a simplement dit qu'une conférence politique s'était tenue au *motel* et a prié son père de ne pas chercher à protéger la réputation de quelques politiciens au risque de perdre sa liberté ou sa vie.

— Mmmmm...

— Je parie également, continua l'avocat d'un ton de plus en plus mordant, que vous avez *interprété* les paroles de Miss Burbank lorsqu'elle a dit que le rasoir de son père se trouvait au *motel.*

— J'ai pourtant trouvé ce maudit rasoir là-bas ! s'écria le Lieutenant en perdant soudain son sang-froid.

— Et alors ? A supposer même que ce rasoir appartînt à Mr. Burbank, ce que la police n'a encore nullement établi, je ne savais pas que ce fût un crime de laisser son Gillette dans un *motel* ou quelque autre endroit.

— Oui, mais si on examine ce fait dans le cadre général, les conclusions s'imposent.

— Loin de ma pensée de vous interdire de tirer des conclusions, Lieutenant, mais de là à faire poursuivre quelqu'un à cause de ça... La Cour, j'en suis sûr, tiendra compte des faits et non de vos conclusions. Vous oubliez que, si l'on veut inculper une personne de faux témoignage, il faut qu'elle ait fait de fausses déclarations sous la foi du serment. Il ne suffit pas qu'elle ait jeté des paroles en l'air et que la police les ait interprétées d'une certaine façon.

— Je n'en maintiens pas moins que les inculpés voulaient faire commettre un parjure à J. C. Lassing ! s'écria Tragg.

— Vraiment ? fit Mason en levant les sourcils. Quelqu'un le lui a demandé ?

Le lieutenant haussa les épaules d'un air las.

— Bon, poursuivit l'avocat. Changeons de sujet, si

vous le voulez bien. Vous avez été appelé sur le yacht, le samedi matin où le corps de Roger Milfield a été découvert ?

— Oui.

— Et vous avez procédé là-bas à un certain nombre de constatations ?

— Oui.

— Relevant entre autres l'empreinte sanglante d'une chaussure sur l'échelle menant aux cabines ?

— Un instant ! intervint vivement Burger. J'ai l'intention d'aborder cette question avec un autre témoin.

— Il me plaît de l'aborder avec celui-là, rétorqua Mason, l'air hautain. Lieutenant, voulez-vous répondre à ma question, je vous prie ?

— Mais oui..., répondit Tragg d'un ton hésitant.

— Donc vous avez remarqué cette empreinte ?

— Oui.

— Vous êtes-vous assuré que...

— Plaise à la Cour, interrompit Burger, j'estime que le contre-interrogatoire n'est pas correct. Je tiens à présenter les événements dans leur ordre logique. Or, la Défense...

— Mr. le D.A., objecta le juge, si Mr. Mason désire interroger le témoin sur un point précis, je ne vois pas pourquoi il se sentirait lié par la façon dont vous envisagez de nous présenter les éléments de cette affaire. Le témoin est officier de police, il est donc particulièrement bien informé ; dans ces conditions, la Défense a le droit de lui poser toute question pertinente se rapportant au crime.

— Mais, Votre Honneur, se plaignit Burger, j'entends établir par un autre témoin la question de la chaussure et de l'empreinte.

— L'important, Mr. Burger, est de savoir si le témoin ici présent est au courant de ce problème.

— Il en a l'air, en tout cas.

— Alors, laissez-le dire ce qu'il sait ! trancha sèchement le juge. La Cour désire aller de l'avant. Je suis là pour rendre la justice, et non pour permettre au Ministère Public de bâtir, sur des données spectaculaires, un procès destiné à permettre à la presse de clamer son admiration envers le D.A. et ses collaborateurs. — Et, comme Burger levait la main : Cela suffit ! — Se tournant vers Tragg : Le témoin est prié de répondre à la question.

— Oui, déclara le lieutenant. Une empreinte a effectivement été découverte sur l'échelle, et il se trouve que j'ai en ma possession la chaussure sanglante.

— Parfait, dit Mason. Maintenant, voulez-vous jeter un coup d'œil à cette photo, versée aux débats sous le numéro cinq. J'attire votre attention sur la bougie qu'on y aperçoit. Vous y êtes ?

— Je vois en effet qu'il y a une bougie sur la photo.

— Regardez bien la photo et étudiez la position de la bougie.

— C'est fait.

— Y a-t-il quelque chose dans l'aspect de cette bougie qui vous frappe comme n'étant pas ordinaire ?

— Non. C'est simplement une bougie fixée sur la table dans la cabine où le corps a été découvert.

— Cette bougie, Lieutenant, a brûlé. A combien estimeriez-vous, en centimètres, la hauteur qui a brûlé ?

— Ma foi, deux centimètres ou deux centimètres et demi.

— Avez-vous cherché à établir, par quelque test ou expérience, combien de temps il faut à une bougie comme celle-là, compte tenu de son diamètre, pour diminuer de deux centimètres ou deux centimètres et demi dans les circonstances qui nous intéressent ?

— Non, Maître. Je n'ai pas pensé que ce fût nécessaire.

— Pourquoi ?

— Parce que cette bougie ne signifie rien.

— Expliquez-vous, Lieutenant.

— Parce que nous savons quand Milfield est mort et comment il est mort. Comme son décès est intervenu bien avant la tombée de la nuit, cette bougie ne signifie absolument rien.

— Vous remarquerez, Lieutenant, que cette bougie

n'est pas parfaitement perpendiculaire par rapport à la table. Elle est légèrement inclinée.

— Je l'ai remarqué.

— Avez-vous pris un rapporteur et mesuré l'angle d'inclinaison ?

— Non.

— Ne pensez-vous pas que cet angle est d'environ dix-huit degrés ?

— Eh bien... pour être franc, je n'en sais rien.

— Au jugé, pourriez-vous dire que cet angle est d'environ dix-huit degrés ?

— C'est possible.

— Mais vous n'avez rien fait pour le mesurer ?

— Non.

— Ni pour expliquer la raison de cette inclinaison ?

Tragg sourit d'un air hautain.

— Une des explications possibles, dit-il, est que l'assassin a voulu nous faire croire que le crime avait été commis après la tombée de la nuit. Il a fixé la bougie sur la table mais, dans sa hâte, l'a fait de façon négligente.

— Vous n'avez aucune autre théorie à nous proposer ?

— A vrai dire, je n'y ai même pas songé.

Mason sourit à son tour et déclara :

— Ce sera tout, Lieutenant.

Burger fronça les sourcils et lança à l'avocat :

— Qu'est-ce que cette bougie bancale a à voir dans cette affaire ?

— Ceci, répondit Mason d'un ton aimable, est un de mes secrets.

— Pour moi, dit le D.A., cette bougie n'a aucune sorte d'importance.

— Pour moi, elle en a une très grande, ne vous en déplaise.

Le juge Newark portait son regard de l'un à l'autre des deux hommes. A la fin, il se racla la gorge et dit :

— Mr. le D.A., vous pouvez faire appeler le témoin suivant.

— Mr. Arthur St. Claire, annonça Burger.

Della Street se pencha vers Mason.

— C'est l'homme qui nous a suivies en taxi depuis la gare et qui m'a arrêtée à l'hôtel, murmura-t-elle. Soyez prudent, patron. Il est diablement malin.

L'avocat acquiesça.

Arthur St. Claire prit place à la barre des témoins, déclina son identité puis, ayant précisé qu'il était membre de la police de Los Angeles, attendit les questions du D.A.

— Connaissez-vous l'inculpée Carol Burbank ? demanda Burger.

— Oui, monsieur.

— L'avez-vous vue le dimanche suivant le jour de la découverte du corps de Fred Milfield ?

— Oui, à plusieurs reprises et à plusieurs endroits. J'avais reçu pour mission de la filer, et je l'ai en conséquence suivie dans ses déplacements.

— Notamment à la Gare Centrale ?

— Oui, entre autres, et ensuite à l'*Hôtel Woodridge.*

— Pendant que vous étiez à la gare, avez-vous remarqué si l'inculpée était seule ou avec quelqu'un ?

— Elle est restée seule quelque temps, puis une personne est venue la rejoindre.

— Qui ?

— Miss Della Street, secrétaire de Maître Perry Mason.

— Ah, ah ! fit Burger en arborant la mine ravie d'un chat qui vient d'attraper une souris. Et que s'est-il passé après l'arrivée de Miss Street ?

— Elles ont pris un taxi et se sont rendues au *Woodridge.*

— Et vous ?

— J'en ai pris un autre et je les ai suivies jusqu'à l'hôtel.

— Que s'est-il passé là-bas ?

— Elle s'est inscrite, puis a rempli la fiche de Miss Burbank, utilisant pour cette dernière deux initiales au lieu de son prénom et sans indiquer qu'il s'agissait de Miss ou de Mrs.

— Et après ?

— Ensuite, Miss Street a tiré de son sac une enveloppe adressée à Mr. Perry Mason et l'a tendue au réceptionniste en précisant que son employeur passerait la prendre.

— Continuez.

— C'est alors que je suis intervenu pour dire aux deux femmes que je les emmenais au Q.G.

— Et puis ?

— J'ai saisi l'enveloppe, l'ai décachetée et y ai trouvé un reçu de la consigne de la Gare Centrale.

— Est-ce le reçu que je vous montre ? s'écria Burger en brandissant le ticket d'un geste théâtral.

— Oui.

— Ensuite, muni de ce reçu, vous vous êtes rendu à la gare ?

— Oui, j'ai présenté le reçu à la consigne et me suis fait remettre un paquet.

— Que vous avez ouvert ?

— Non, que j'ai emmené au Q.G. C'est là que le paquet a été ouvert.

— Mais vous étiez présent lors de l'ouverture ?

— Oui.

— Et qu'y a-t-on trouvé ?

— Une paire de chaussures.

— Sont-ce celles-là ? tonna Burger en brandissant la paire de chaussures.

— Oui, monsieur.

— Les avez-vous examinées pour voir s'il y avait dessus quelque substance étrangère ?

— Oui.

— Et qu'avez-vous découvert ?

— Des taches rougeâtres qui ressemblaient à du sang séché.

— Ce sera tout, fit le D.A. en se tournant vers Mason. Vous pouvez contre-interroger.

L'avocat étudia Arthur St. Claire pendant un long

moment. Celui-ci, de son côté, fixa Mason de son air le plus aimable, s'humecta les lèvres et, se rejetant légèrement en arrière, croisa les jambes.

— Ainsi donc, commença Mason, vous « filiez » Miss Burbank ?

— Oui, Maître.

— Seul ?

Le témoin hésita un instant.

— Non, j'avais un camarade avec moi, finit-il par répondre d'un ton mal assuré.

— Voulez-vous nous dire son nom ?

St. Claire se tourna vers Burger, comme pour lui demander conseil.

— Votre Honneur, s'écria le D.A., j'objecte. Le contre-interrogatoire ne doit porter que sur les questions que le Ministère Public a posées.

— Objection rejetée, trancha le juge. Témoin, veuillez répondre.

— Quel est le nom de votre camarade ? répéta Mason.

— Harvey Teays.

— Se trouvait-il à la Gare Centrale en même temps que vous ?

— Oui.

— Et où est-il maintenant ?

— Je... je ne sais pas.

— Lorsque vous dites ignorer l'endroit où se trouve actuellement Mr. Teays, qu'entendez-vous par là ?

— Exactement ce que j'ai dit. Je ne sais pas où il est.

— Ce Harry Teays fait-il toujours partie de la Police ?

— Je... je le suppose.

— Et vous êtes *sûr* de ne pas savoir où il se trouve ?

— N-n-non...

— En ce cas, fit Mason d'un ton amusé, permettez-moi de vous rafraîchir la mémoire. Mr. Teays est en congé. Il a décidé de prendre des vacances. Je présume qu'il vous a parlé de l'endroit où il se rendait ?

— Eh bien... D'abord, je n'ai pas le droit de le répéter, car ce serait de l'ouï-dire.

— Parfaitement ! intervint Maurice Linton sur un signe de Burger. Le témoin a raison. La Défense n'a pas le droit de lui demander de révéler ce qu'il ne sait que par ouï-dire.

— Votre objection vient un peu tard, trancha le juge d'un ton quelque peu irrité. Vous auriez dû le faire au moment où le témoin a prétendu ne pas savoir le lieu de séjour actuel de Mr. Teays. Mais, une fois que Mr. St. Claire a dit l'ignorer, la Défense a le droit d'en tirer certaines conclusions. En outre, le caractère évasif des réponses du témoin montre qu'il n'est pas objectif.

— Je ne vois pas en quoi..., commença Linton.

— C'est un témoin hostile aux inculpés, fit sèchement Newark. Mr. Mason est obligé de lui soutirer des renseignements bribe par bribe, alors que, manifestement, Mr. St. Claire sait plus de choses qu'il ne veut en dire. Mr. Mason, vous pouvez continuer.

— Savez-vous, demanda l'avocat au témoin, *pourquoi* Mr. Teays est parti en vacances ?

— Il était fatigué. Ayant travaillé pendant des mois, il avait le droit de se reposer quelques jours, comme tout le monde.

— N'est-ce pas une époque plutôt inhabituelle pour prendre des vacances ?

— Les gens prennent les leurs quand ils le veulent ou quand ils le peuvent.

— Mr. Teays vous avait-il parlé de son intention de partir en vacances alors qu'il travaillait avec vous sur cette affaire ?

— Non, pas que je m'en souvienne.

— Et puis, pfuit, il a brusquement décidé d'aller se dorer au soleil. Ignorez-vous vraiment pourquoi ?

— Je vous ai déjà dit tout ce que je savais à ce sujet.

— Je serais curieux de savoir, dit Mason, si Mr. Teays n'a pas pris une si brusque décision parce que c'est lui qui a ramassé par terre le reçu de la consigne et parce que c'est lui qui l'a remis à Miss Street.

— Je l'ignore.

— Mais vous savez que Teays a bien agi de la sorte, qu'il a ramassé le ticket et l'a donné à Miss Street ?

— Je... je ne pourrais pas l'affirmer. Je n'en jurerais pas.

— Pourquoi ?

— Je n'ai pas assisté à la scène d'assez près.

— Ah, ah... Bon, procédons autrement. Vous n'avez pas quitté Miss Burbank d'une semelle, ce dimanche-là, n'est-ce pas ?

— En effet.

— Vous l'avez vue se diriger, en compagnie de Miss Street, vers la station de taxis, devant la gare ?

— Oui.

— Vous avez donc certainement vu Miss Burbank ouvrir son sac et un objet en tomber par terre ?

— Eh bien... Oui-i-i...

— Et vous avez également vu Mr. Teays se pencher, ramasser ledit objet et le remettre à Miss Street ?

— Oui.

— Et la seule raison pour laquelle vous prétendez ne pas savoir si c'était le *même* ticket est que vous étiez trop loin pour en voir le numéro ?

— Je ne puis jurer une chose dont je ne suis pas sûr.

— Mais le reçu que vous avez vu ressemblait à celui que M. le Procureur vous a montré ?

— Bien sûr. Tous les tickets de consigne se ressemblent.

— Est-ce que Teays vous a dit qu'il avait remis ce ticket à Miss Street ?

— Objection ! intervint Linton. Ce serait de l'ouï-dire. Les déclarations que Mr. Teays a pu faire au témoin n'ont rien à voir avec le procès.

— Objection valable, décréta le juge. Toutefois je voudrais savoir si le Ministère Public connaît les raisons du départ précipité de Mr. Teays en vacances à cette époque de l'année.

— Eh bien, il a droit à quinze jours, comme tout le monde, fit Linton d'une voix mal assurée.

— Savez-vous quand a été prise la décision de lui accorder ces quinze jours ? insista Newark.

— Non, Votre Honneur.

— Avez-vous d'autres questions à poser au témoin, Mr. Mason ? demanda le juge.

— Non, Votre Honneur, j'en ai fini, répliqua l'avocat.

Newark contempla un instant St. Claire d'un air renfrogné, puis tourna la tête vers le banc du Ministère Public.

— Au suivant, dit-il.

— Le Dr. Colfax C. Newburn, annonça Linton.

Le médecin-légiste avança d'un pas aisé, prit place, déclina ses noms, prénoms et qualité et attendit les questions.

— Vous êtes, si je ne m'abuse, attaché au bureau du coroner, Docteur ? s'enquit l'adjoint du D.A.

— C'est exact.

— Regardez cette photo, Docteur. La reconnaissez-vous ?

— Oui. Elle représente le corps dont j'ai pratiqué l'autopsie dimanche matin.

— De quoi le défunt est-il mort ?

— D'un coup très violent porté à la nuque. Il en est résulté une fracture du crâne et une grosse hémorragie. Ce ne sont pas, bien entendu, les termes médicaux appropriés, mais j'essaie de m'exprimer de façon à ce que tout le monde me comprenne.

— Nous vous remercions, Docteur. Pourriez-vous nous fournir quelques précisions sur la cause et l'heure de la mort ?

— A mon avis, déclara le médecin, la victime s'est évanouie sous l'impact du coup. Et je ne pense pas qu'elle ait jamais repris connaissance, à en juger par l'importance de l'hémorragie. Je pourrais dire, sans crainte de beaucoup me tromper, que le défunt est mort dans les cinq minutes qui ont suivi le coup.

— Donc, la victime n'a pu bouger, une fois ce coup reçu ?

— Certainement pas.

— Lorsque vous avez pour la première fois vu ce corps, à quel endroit de la cabine se trouvait-il exactement ?

— Ici, dit le médecin en indiquant un point sur une autre photo que Linton venait de lui tendre et qui représentait l'intérieur de la cabine. C'est ce qu'on appelle le côté tribord.

— Voici une troisième photo, variante de la précédente, mais montrant le corps tel qu'il a été trouvé dans la cabine. Est-ce bien ainsi que vous l'avez vu pour la première fois ?

— Exactement.

— Continuez.

— Le défunt gisait sur le dos. Il y avait sous sa tête une assez grande flaque de sang, ce qui m'a tout de suite indiqué combien l'hémorragie avait été importante. J'ai également noté des taches de sang à un autre endroit de la cabine. Voulez-vous que je vous l'indique sur une photo ?

— S'il vous plaît.

Mason se leva pour aller voir de plus près l'endroit que le médecin désigna de l'index.

— Plaise à la Cour de remarquer, dit-il, que le témoin indique, sur cette photo, une partie du plancher située immédiatement à côté du seuil. C'est bien ça, Docteur ?

— Oui.

— Je vous remercie, Docteur, déclara l'avocat en revenant à sa place.

— Y avait-il d'autres taches de sang ? poursuivit Linton.

— Il y en avait quelques gouttes sur une ligne allant approximativement du seuil à l'endroit où j'ai vu le corps.

— Avez-vous examiné le seuil qui sépare la cabine principale, celle où le cadavre a été découvert, de l'autre, l'avant-cabine qui faisait en quelque sorte fonction d'antichambre ?

— Oui.

— Et qu'avez-vous constaté ?

— Le seuil entre les deux a une hauteur de sept à huit centimètres, ce qui est généralement le cas sur la plupart des yachts. Ce seuil était protégé par une enveloppe de cuivre, et celle-ci portait des traces de décoloration. J'ai gratté celles-ci et ai constaté que c'était du sang humain. J'ai procédé ensuite à une analyse dudit, et ai établi qu'il appartenait au même groupe que celui du défunt.

— Pourtant, fit observer Linton, le corps a été découvert à plusieurs mètres du seuil.

— Oui.

— Comment expliquez-vous ce fait, puisque selon vos propres paroles, le défunt n'a pu bouger lui-même ?

— Il a probablement glissé sous l'effet de la marée.

— Qu'entendez-vous par là ?

— Lorsque la police est arrivée sur le yacht, c'était la marée basse. Le bâtiment était penché selon un angle tel, que, par moments, il était difficile de conserver son équilibre en marchant. Donc, la seule explication logique me semble être que le corps a roulé lorsque le yacht, ayant touché le fond, s'est penché.

— Autrement dit, il aurait pu glisser tout seul, sans intervention humaine ?

— C'est possible, surtout si la rigidité cadavérique n'était pas encore intervenue. Le défunt gisait bras et jambes écartés. Si la *rigor mortis* était survenue *avant* la marée basse, alors mon explication ne serait peut-être plus valable.

— A quel moment la rigidité cadavérique intervient-elle généralement ?

— Environ dix heures après le décès. Disons un maximum de douze heures.

— Et la rigidité cadavérique était-elle déjà survenue lorsque vous avez examiné le corps ?

— Oh oui.

— A quelle heure avez-vous vu le corps pour la première fois ?

— Samedi, à onze heures dix-sept du matin.

— A votre avis, docteur, à quelle heure le défunt est-il décédé ?

— D'après moi, déclara Newburn, la victime est morte pas plus tôt que dix-sept heures dix-sept ni plus tard que vingt et une heures dix-sept, vendredi soir.

— Avez-vous relevé d'autres blessures sur le cadavre ?

— Oui. Une contusion à la pointe du menton.

— Indiquant un coup ?

— Indiquant un traumatisme. L'ecchymose était bien visible.

— Avez-vous constaté d'autres blessures ?

— Aucune.

— Vous pouvez contre-interroger, dit Linton à Mason.

L'avocat se leva lentement et s'approcha du médecin.

— La blessure que vous avez relevée sur la nuque est la seule qui ait pu provoquer le décès ? demanda-t-il.

— Oui.

— Pourriez-vous nous dire, combien de temps une hémorragie consécutive à un tel coup pourrait durer après la mort ?

— Etant donné la nature de la blessure, j'estime qu'elle a dû s'arrêter peu après le décès.

— Qu'entendez-vous par « peu après » ?

— Oh, dix ou quinze minutes au maximum.

— Lorsque le corps a bougé, a-t-il pu y avoir une autre perte de sang ?

— Oui.

— Et celle-ci, que nous pourrions qualifier d'hémorragie numéro deux se serait-elle longtemps poursuivie ?

— Celle-là, oui.

— La flaque dont vous avez constaté l'existence sous la tête de la victime aurait-elle pu être la conséquence de l'hémorragie numéro deux ?

— Je ne le pense pas. Vu la quantité de sang, je suis à peu près certain que c'était l'hémorragie numéro un, pour employer vos termes.

— Je vous remercie, Docteur. Dites-moi, pour avoir

provoqué la mort de Fred Milfield, le coup que vous avez relevé à la nuque a dû être très violent.

— Certainement.

— La blessure à la tête aurait-elle pu être produite par la chute de la victime, sa tête heurtant, par exemple, le seuil bardé de cuivre ?

— J'en doute, mais c'est une opinion strictement personnelle. A moins que, évidemment, la victime n'ait été littéralement projetée, la tête la première, contre le seuil.

— Docteur, intervint Linton, vous avez dit que le coup a été *très* violent ?

— Oui.

— Un coup susceptible d'avoir été porté par un homme ayant beaucoup pratiqué la boxe ?

— Si vous voulez.

— Je m'excuse de cette interruption, déclara Linton à Mason. Vous pouvez poursuivre le contre-interrogatoire.

— J'ai terminé, dit l'avocat.

— En ce cas, ordonna le juge à Linton, faites venir le témoin suivant.

— Thomas Lawton Cameron, annonça Linton.

Thomas L. Cameron déclara qu'il était gardien au Yacht Club dont Roger Burbank était membre ; que Burbank avait l'habitude de passer ses week-ends sur le bâtiment ; que le vendredi du crime, l'inculpé était arrivé à onze heures trente du matin ; qu'exceptionnellement il avait fait avec son yacht un tour d'une heure du port ; qu'il était ensuite reparti ; que lui-même, Cameron, avait observé vers cinq heures le dinghy se dirigeant vers le yacht, mais qu'il ne pouvait affirmer si la personne qui le manœuvrait était Burbank ; qu'enfin il connaissait personnellement le défunt, c'est-à-dire Fred Milfield.

— Mr. Cameron, demanda Linton, avez-vous vu Milfield le jour du crime ?

— Oui.

— A quel moment ?

— Il est arrive au Club peu après dix-sept heures et a loué une barque.

— Cette barque, quand l'avez-vous revue ensuite ?

— Près de vingt-quatre heures plus tard. Nous l'avons retrouvée samedi après-midi, échouée.

— A quel endroit précis ?

— Dans l'estuaire, à environ un demi-mille du yacht, en aval de celui-ci.

— Avez-vous revu Burbank dans l'après-midi du samedi ?

— Oui. Dans son dinghy, quarante ou quarante-cinq minutes après que Mr. Milfield m'eut quitté. Il l'a amarré, puis est monté dans sa voiture et est parti.

— L'avez-vous revu par la suite ?

— Je ne l'ai pas *vu,* mais, alors que j'étais en train de parler au téléphone, j'ai entendu un moteur de hors-bord. Et, quand je suis sorti, le dinghy n'était plus là. Lorsqu'il est revenu, j'ai bien remarqué une silhouette mais n'y ai pas prêté attention.

— Et après ?

— Le dinghy était de nouveau amarré quand je me suis couché, à minuit. Et il était à sa place le lendemain matin à six heures. Comme je n'ai entendu aucun bruit de moteur, durant la nuit, ce qui n'aurait pas manqué de me réveiller, je présume qu'il n'a pas bougé.

— Quand avez-vous revu Milfield ?

— Eh bien, le samedi, cet éleveur a fait irruption et a dit...

— Je vous arrête, Mr. Cameron, fit Linton, car c'est de l'ouï-dire. Ce que je vous demande, c'est à quel moment vous avez *vous-même* vu Milfield.

— Samedi matin, en compagnie du Lieutenant Tragg et d'autres membres de la police. Mr. Milfield était mort.

— Vous pouvez contre-interroger, dit Linton à Mason.

— Mr. Cameron, demanda l'avocat, avez-vous vraiment *vu* Mr. Burbank revenir au Club dans ce dinghy ?

— Oui.

— Lui avez-vous parlé ?

— Non.
— Mais vous l'avez vu monter dans sa voiture et démarrer ?
— Oui.
— Vous l'avez nettement vu ?
— Aussi nettement que l'on peut voir à une certaine distance.
— C'est-à-dire ?
— Eh bien, trente ou quarante mètres.
— Portiez-vous vos lunettes à ce moment ?
— Sûr.
— Et vous avez reconnu Burbank dès que vous l'avez vu dans le dinghy ?
— A vrai dire, j'ai d'abord pensé que c'était Fred Milfield.
— Ah ? A quelle distance vous trouviez-vous du dinghy ?
— Cinquante ou soixante mètres.
— Où étiez-vous exactement ?
— Dans ma petite cabane, d'où je peux surveiller les jetées du Club.
— Que faisiez-vous ?
— Je me préparais à manger, tout en regardant par la fenêtre.
— Et vous avez vu un homme ?
— Oui.
— Comme vous étiez penché au-dessus d'aliments qui cuisaient, est-il possible qu'il y ait eu de la buée sur vos verres ?
— Je n'en ai pas l'impression, mais ce n'est pas exclu.
— Et, fit Mason en tendant le bras vers le témoin, à ce moment, vous avez pensé que c'était Milfield ?
— Oui.
— Quand vous êtes-vous rendu compte que ce n'était pas lui ?
— Lorsque j'ai vu Milfield mort.
— J'attire votre attention sur le fait que vous avez commencé par déclarer à la police que l'homme du dinghy

était Milfield. Ce n'est qu'après que la police vous eut fait observer que c'était impossible que vous avez changé d'avis. Sommes-nous bien d'accord, Mr. Cameron ?

— Oui, Maître.

— Roger Burbank avait-il l'habitude de passer ses week-ends sur son yacht ?

— Oui. Il m'avait dit un jour que ça lui permettait de fuir les importuns.

— Si j'ai bien compris, le yacht restait toujours à l'ancre ?

— Dans l'ensemble, oui, sauf de rares occasions où Mr. Burbank allait jusqu'au bout de l'estuaire.

— Je présume qu'il s'y rendait toujours à marée basse ?

— Juste avant la marée basse, oui, sinon il n'aurait pas pu manœuvrer le yacht.

— Ce vendredi soir, quelle était l'heure de la marée basse, Mr. Cameron ?

— Minuit trois, dans la nuit du vendredi au samedi.

— Donc, si quelqu'un avait voulu manœuvrer le yacht, il aurait dû le faire dans les deux heures, au plus tard suivant la marée haute, c'est-à-dire vers sept heures et demie ?

— Je dirais même huit heures, Maître.

— Si l'on avait essayé de déplacer le bâtiment passé huit heures, ce n'était plus possible ?

— Non, il aurait fallu attendre la prochaine marée haute.

— C'est-à-dire ?

— Midi quarante-cinq, le samedi.

— Parlez-nous des circonstances de la découverte du corps.

— C'était samedi matin, dix heures. Le yacht était échoué sur un banc de sable, penché. D'après ce que j'ai compris, un certain Palermo avait rendez-vous avec Milfield à bord et...

— C'est de l'ouï-dire ! s'écria Linton.

— Vous objectez ? demanda Mason.

— Cela me paraît tellement banal que je ne me donne même pas la peine d'objecter.

— Votre Honneur, déclara l'avocat en se tournant vers le juge, une partie de ce que ce témoin peut nous révéler est incontestablement de l'ouï-dire, mais mon intention est de présenter à la Cour un tableau d'ensemble, et ce de la façon la plus efficace.

— Mais nous avons fait citer Frank Palermo, l'homme qui a découvert le corps, expliqua Linton. Vous pourrez l'interroger aussi longtemps qu'il vous plaira sur ce qu'il a vu.

— Je n'ai pas l'intention d'interroger Mr. Cameron sur ce que Palermo a vu, répliqua l'avocat, mais je veux lui demander quand il a vu Palermo et ce que celui-ci lui a dit. Et si je demande à la Cour l'autorisation de procéder ainsi, c'est uniquement pour clarifier la situation. Je voudrais que les événements soient présentés dans leur ordre chronologique.

— Et pourquoi voulez-vous voir figurer dans les minutes des débats ce que Palermo a fait *après* la découverte du corps ? demanda Linton.

— Parce que, répondit en souriant Mason, cela nous permettrait peut-être de déceler certains faits favorables aux inculpés.

— Ce témoin, déclara Linton d'un ton sarcastique, ne sait rien qui soit favorable aux inculpés. En fait, aucun témoin digne de foi ne saurait nous révéler le moindre fait favorable aux inculpés.

— Car, fit Mason, s'il y en avait un, il serait sans doute en vacances, n'est-ce pas, mon cher Confrère ?

La salle éclata de rire et Newark eut quelque peine à rétablir l'ordre.

— La Défense et le Ministère Public sont priés de s'abstenir de toute insinuation de caractère personnel, déclara le juge. Pour nous résumer, avez-vous l'intention d'objecter, Mr. Linton ?

— Votre Honneur, déclara le D.A. adjoint d'un ton digne, je ne me donnerai même pas cette peine.

— Puisque le Parquet ne s'y oppose pas, décida le juge, la Cour est prête à entendre le témoin, afin de se faire une idée d'ensemble de l'affaire.

— Mr. Cameron, reprit Mason, avez-vous été la première personne à vous entretenir avec l'homme qui a découvert le corps ?

— Je le crois.

— Dites-nous comment ça s'est passé.

— Eh bien, on était samedi matin, aux environs de dix heures et demie. J'ai vu un canot qui s'approchait, avec un homme dedans.

— Quelque chose de particulier a-t-il à ce moment attiré votre attention ?

— Oui.

— Quoi ?

— La nature du canot.

— Qu'est-ce que ce canot avait de particulier ?

— C'était un canot pliant... Vous voyez ce que je veux dire ? Ce sont des canots pneumatiques qu'on peut dégonfler et transporter dans une auto.

— Et qui était l'homme, Mr. Cameron ?

— Lorsqu'il fut suffisamment près, il se mit à parler, avec un drôle d'accent étranger. Il me dit qu'il s'appelait Frank Palermo, qu'il venait de Skinner Hills et qu'il avait un rendez-vous avec Milfield sur le...

— Ouï-dire ! cria Linton.

— Objection valable, dit Newark.

— Très bien, déclara Mason au témoin, contentez-vous de nous dire ce que vous avez fait vous-même.

— Cet homme m'a dit ce qu'il avait découvert, à la suite de quoi je me suis mis en communication avec la police.

— Qu'avez-vous déclaré à la police ?

— Eh bien, reprit Cameron, j'ai téléphoné au Q.G. et j'ai dit à la police...

— Ce que vous avez dit à la police ne nous intéresse pas, coupa Linton.

— Au contraire, répliqua Mason.

— Objection rejetée, décréta Newark.

— J'ai dit à la police, déclara Cameron, que j'étais le gardien du Yacht Club et qu'une espèce de rital prétendait qu'il avait rendez-vous avec Milfield. J'ai...

— Votre Honneur, protesta Linton, il y a quelques instants à peine, la Cour a refusé d'entendre le témoin sur cette question.

— Pas du tout, objecta le juge. A ce moment-là, il nous racontait ce que Palermo lui avait dit. Maintenant, il nous parle de ce qu'il a, *lui,* dit à la police. La Défense a parfaitement le droit de l'interroger là-dessus. Mr. Cameron, vous pouvez continuer.

— J'ai dit à la police que cet homme, Palermo, était monté à bord du yacht et...

— Mr. Cameron, intervint Linton d'une voix criarde, je vous rappelle que vous devez parler de ce que vous avez dit à la police, et non de ce que Palermo vous a dit.

— C'est ce que je fais, rétorqua le témoin. J'ai répété à la police ce que Palermo m'avait dit.

Le juge sourit.

— Continuez, Mr. Cameron.

— Palermo, ai-je dit à la police, reprit le témoin, m'a déclaré qu'il avait plusieurs fois fait le tour du yacht, appelant Milfield. Ne recevant pas de réponse, il est monté à bord et a trouvé Fred Milfield mort dans la cabine.

— Mr. Cameron, reprit Mason, avez-vous dit à la police si Palermo vous avait mentionné l'heure de son rendez-vous, ou s'il vous avait parlé de l'heure à laquelle il avait quitté Skinner Hills ?

— Palermo m'en a parlé, rétorqua le témoin, mais je ne l'ai pas dit à la police.

— Donc, s'écria Linton d'un ton de triomphe, le témoin ne peut en faire état.

— Mais personne ne le lui demande, fit observer l'avocat.

— Continuez, dit le juge en jetant un coup d'œil mécontent à Linton.

— Vous avez l'habitude de louer des barques ? poursuivit Mason.

— Oui, Maître.

— Existe-t-il, dans les environs, un autre endroit où l'on puisse louer des embarcations ?

— Pas à ma connaissance.

— Voulez-vous nous dire, Mr. Cameron, si vous avez loué des barques durant la soirée du fameux vendredi ?

— Objection ! clama Linton.

— Rejetée, trancha le juge. Répondez, Mr. Cameron.

— J'en ai loué une.

— Une seule ? fit Mason.

— Oui.

— A quelle heure ?

— A neuf heures du soir.

— A qui l'avez-vous louée ?

— L'homme s'appelait Smith... — Le témoin sourit. — C'est du moins ce qu'il m'a dit. Il m'a versé un dépôt de garantie de cinq dollars. Sans que je lui demande quelque chose, il m'a déclaré qu'il voulait étudier le comportement des requins la nuit.

— A quelle heure êtes-vous rentré en possession de la barque ?

— A dix heures vingt du soir.

— Une heure vingt vous semble-t-il un temps suffisant pour étudier le comportement nocturne des requins ?

— Tout dépend de ce que vous voulez étudier dudit comportement, et du nombre de requins observés.

La salle éclata de rire.

— Je me demande, fit Linton d'un ton aigre-doux, si le témoin est expert en requins.

Cameron rougit.

— Il se trouve que je le suis, déclara-t-il. J'ai étudié la question à fond.

Le juge Newark se pencha en avant, l'air visiblement intéressé.

— Mr. Cameron, s'enquit-il, que savez-vous d'autre au

sujet de cet homme, Smith, à qui vous avez loué une barque ?

— Rien, Votre Honneur.

— Avez-vous signalé l'incident à la police ?

— Je... Je ne crois pas. Je ne pense pas que la police m'ait questionné au sujet de mes locations.

— Et c'est la seule embarcation louée dans la soirée du crime ?

— Oui, Votre Honneur.

— En avez-vous loué durant la journée ?

— Oui, une, à trois heures de l'après-midi. Mais elle m'a été rendue à cinq.

— A qui ?

— A une femme que je ne connais pas.

— Elle était seule ?

— Oui, Votre Honneur. Elle, elle voulait pêcher.

— Cet homme, Smith, pouvez-vous nous le décrire ?

— Oui, Votre Honneur. Il était jeune, très mince et avait le teint foncé. Il ne devait pas avoir l'habitude de ramer car...

— Les impressions du témoin ne nous intéressent pas ! s'écria Linton.

— Si ! fit le juge d'un ton irrité. Vous disiez donc, Mr. Cameron, que ce Smith vous a donné l'impression d'un rameur malhabile ?

— Oui, Votre Honneur.

— Ne pourriez-vous nous en fournir un signalement plus précis ? Sa carrure ? Ses vêtements ?

— Il portait un pardessus, et ça également, ça m'a frappé.

— Pourquoi ?

— Eh bien, Votre Honneur, un homme qui s'embarque se vêtira d'une veste de sport ou de cuir, et portera des bottes. Il est extrêmement rare de voir quelqu'un garder son pardessus, surtout lorsqu'il s'agit d'un vêtement de prix.

— Pourquoi, Mr. Cameron ?

— Parce que les barques, même les toutes neuves,

laissent filter un peu d'eau. Et puis, dans le fond, on trouve de la vase et des détritus. Si l'on garde un pardessus, on est sûr d'en salir le bas. N'oubliez pas que le siège d'une barque n'est pas haut et, quelque effort que l'on fasse, il est impossible de préserver les pans d'un manteau de l'eau et de la boue.

— Oui, je vois. Pourriez-vous maintenant nous décrire ce manteau ?

— Il était gris clair, et le tissu en était certainement coûteux.

— Qu'entendiez-vous en disant que Smith était jeune ?

— La trentaine au maximum, Votre Honneur.

— D'autres détails, Mr. Cameron ?

— Il m'a paru un peu chétif.

— En revenant, vous a-t-il fait quelque déclaration ?

— Simplement qu'il avait observé les requins. Il avait une torche électrique avec lui.

— N'avez-vous pas remarqué s'il avait un calepin ? demanda Mason.

— Non, à moins qu'il ne l'ait eu dans la poche de son manteau.

— Reconnaîtriez-vous cet homme si vous le voyiez à nouveau ? demanda Newark.

— Je crois que oui, Votre Honneur.

— Très bien, fit le juge. Reprenez votre contre-interrogatoire, Mr. Mason.

— Lorsque la police est arrivée, attaqua l'avocat, avez-vous proposé d'emmener les enquêteurs sur le yacht ?

— Oui. Ces messieurs m'ont demandé si je connaissais l'emplacement du yacht et j'ai répondu par l'affirmative.

— A quelle heure y êtes-vous arrivé ?

— Onze heure quinze environ.

— En pleine marée basse ?

— A une demi-heure près, oui.

— Et le yacht était échoué sur un banc de sable ?

— Plutôt !

— Et très incliné ?

— Oh, oui. On pouvait à peine se tenir debout.

— Quel était le degré d'inclinaison ?

— Oh, dans les vingt-cinq ou trente degrés.

— Et le corps gisait sur le plancher, dans la position indiquée sur la photo ?

— Oui, Maître.

— Si le meurtre a été commis vendredi soir, le corps a été soumis d'une part à l'influence de la marée basse de minuit trois ?

— Oui.

— Et, d'autre part, à celle de la marée haute qui a suivi ?

— Oui, celle de six heures vingt-six, le samedi matin.

— Vous connaissez à une minute près les heures des marées ?

— Ça fait partie de mon métier.

— Sur cette photo, poursuivit l'avocat, nous voyons le corps dans une certaine position. S'il s'était trouvé ailleurs, aurait-il pu glisser au moment où le yacht s'est penché à marée basse ?

— Certainement, Maître.

— Je rappelle au témoin qu'il n'est pas expert pour ce qui est de la question, intervint Linton.

— Il l'est en ce qui concerne toutes sortes d'embarcations, fit sèchement le juge.

Mason tira de sa poche un rapporteur et alla le remettre au juge.

— Au cas où vous en auriez besoin, Votre Honneur, déclara-t-il.

— J'y songeais justement, fit le juge.

Burger et Linton observaient le manège d'un œil visiblement intrigué.

— Je ne comprends pas le sens de cet échange d'observations entre la Cour et la Défense, finit par déclarer Linton.

Le juge plaça le rapporteur sur la photo et dit :

— Elémentaire, mon cher Watson.

Le public rugit de joie et Newark ne fit rien pour

réprimer l'hilarité générale. Le visage de Linton s'empourpra.

— Je regrette, dit-il, mais je ne comprends toujours pas. Plaise à la Cour de m'expliquer le but de ces opérations.

— La Cour, répliqua le juge, se livre à un petit travail de détective amateur, suivant en cela les suggestions implicites de la Défense. Vous remarquerez certainement que la bougie qu'on voit sur la photo est inclinée.

— Et alors ? fit le D.A. adjoint.

— Le rapporteur indique que l'angle d'inclinaison est d'environ dix-sept degrés.

— Lorsque l'assassin a fixé cette bougie sur la table, il n'a pas dû se préoccuper de l'angle d'inclinaison.

— Ce que vous n'avez sans doute pas remarqué, dit le juge, mais ce que la Défense, elle, a vu, est le fait que la cire est également répartie de tous les côtés de la bougie.

— Et qu'est-ce que cela voudrait dire ? demanda Linton en fronçant les sourcils.

— Simplement que, tandis qu'elle brûlait, cette bougie était en position parfaitement perpendiculaire.

— Mais comment est-ce possible ? objecta le D.A. adjoint. Il n'y a qu'à regarder cette photo pour se rendre compte que la bougie est inclinée.

— Justement. Et je pense que, si Mr. Mason a attiré notre attention sur un certain nombre de détails, c'est pour prouver que, *tandis qu'elle a brûlé,* la bougie se trouvait perpendiculaire. Autrement dit, le yacht était, incliné. C'est bien ça, Maître ?

— Oui, Votre Honneur.

— Ce qui nous permettrait de deviner approximativement les heures durant lesquelles elle a brûlé, acheva le juge.

Burger et Linton échangèrent un regard consterné. Le juge étudia quelques instants encòre la photo avec la bougie, puis dit :

— Il est cinq heures, et la Cour va s'ajourner à demain matin dix heures. Je suggère qu'entre-temps la police et le

Ministère Public se penchent sur le problème de la bougie bancale et tirent les conclusions qui s'imposent des déclarations du témoin Cameron au sujet des marées. La Cour estime que ce sont là des faits d'importance.

CHAPITRE XVII

Installé dans un fauteuil, dans le bureau de Mason, Paul Drake suivait du regard l'avocat qui arpentait la pièce.

— Bravo, Perry, déclara-t-il tout à coup. Vous les avez bien eus, Burger et ses collaborateurs. La presse ne tarit pas d'éloges sur vous, vous êtes le héros du jour et je crois que la Cour est de votre côté.

— C'est possible, répondit Mason sans s'arrêter, mais ça ne me suffit pas. Disons que les actions de mes clients ont remonté, mais que je n'ai pas encore totalement emporté l'adhésion du tribunal. Je suis très content, néanmoins, que le juge ait compris l'importance de mes questions concernant la bougie et les marées.

— Bizarre que je n'y ai pas songé, pas plus que la police.

— L'explication est simple, Paul. La plupart des crimes sont commis sur la terre ferme et les détectives n'ont pas songé aux aspects — disons techniques — de l'affaire, lesquels n'auraient pas manqué de frapper un yachtman. Parlez avec un homme qui navigue et sa première pensée sera toujours pour les marées.

— Mais je ne vois toujours pas le rôle de la bougie dans l'histoire, dit Della Street qui écoutait avec un intérêt soutenu la conversation entre les deux hommes.

— Si, Della, vous avez certainement entendu la remarque du juge juste avant l'ajournement des débats. Elle a été allumée alors que le yacht s'inclinait déjà. Mais il y a autre chose qui me préoccupe.

— Quoi, patron ?

— L'empreinte sanglante sur le barreau de l'échelle.

— C'est celle de Carol Burbank.

— C'est probable. Elle le reconnaît d'ailleurs, et c'est sur sa chaussure qu'on a relevé des traces de sang.

— Et alors ?

— Ce qui me chagrine, expliqua Mason, c'est que si ce qu'elle dit est vrai, elle a dû laisser cette empreinte *avant* que Milfield ait été assassiné.

— Mais c'est impossible, Perry ! s'écria Drake.

— Avez-vous remarqué l'emplacement de cette empreinte, Paul ?

— Passez-moi la photo une fois encore, Perry, dit le détective.

Mason ouvrit un des tiroirs de son bureau et prit une épreuve représentant en gros plan l'empreinte d'une chaussure sur un barreau d'échelle.

— Et alors ? fit Drake en rendant la photo à l'avocat.

— Cette empreinte a été faite dans des circonstances différentes de celles qu'on croit.

— Pourquoi ?

— Nous voilà obligés de revenir à la question des marées. Où, je veux dire à quel endroit du barreau, cette empreinte se trouve-t-elle ?

— Au beau milieu.

— Précisément. Supposons qu'au moment où Carol a quitté le yacht, celui-ci était déjà penché. Avez-vous jamais essayé d'escalader une échelle penchée sur le côté.

— Non. Pourquoi ?

Mason se dirigea vers la bibliothèque, prit l'escabeau qui servait à atteindre les rayons supérieurs et l'accota au mur, à un angle d'environ vingt degrés.

— C'est à peu près le degré d'inclinaison de la bougie, dit-il. Supposons, Paul, que vous ayez à escalader cet escabeau, comment vous y prendriez-vous ?

— Moi, je ne le ferais pas.

— Mais s'il fallait absolument que vous le fassiez, Paul ? insista Mason.

Drake secoua la tête.

— Je ne comprends pas, Perry.

— Moi, si, dit Della en s'approchant de l'escabeau. Il n'y a qu'une façon d'escalader ces marches, et c'est non de mettre son pied au milieu de chacune d'elles, ce qui est impossible pour des questions d'équilibre, mais dans le coin, dans l'angle formé par la marche et le montant.

— Exactement, fit Mason.

Drake émit un sifflement.

— Mais alors, dit-il, vous pensez que...

— ... cette empreinte a été faite alors que le yacht flottait, et avant qu'il ne s'échouât, répliqua l'avocat.

— Mais je ne vois pas ce qui vous chagrine, Perry. Carol a déclaré qu'elle était là-bas aussitôt après avoir appris l'altercation entre son père et Milfield, et l'emplacement de l'empreinte corrobore son récit. Le yacht n'a commencé à s'incliner que vers neuf heures. Et Cameron affirme que le dinghy a été...

— Oui, d'accord, coupa Mason. Le seul ennui est qu'à ce moment Milfield n'était pas encore mort.

— Mais si il l'était. Essayez de reconstruire et tout est d'une logique impeccable. Burbank s'est rendu sur le yacht, s'est bagarré avec Milfield et l'a mis K.O. En tombant, Milfield a heurté de la tête le seuil de cuivre et...

— Il y a une autre hypothèse, l'interrompit l'avocat. Burbank a pu assommer son adversaire, le laisser évanoui, puis a pris le dinghy et a rejoint le Club. Puis quelqu'un d'autre s'est rendu sur le yacht, a tué Milfield et est parti. Voilà ce que je dois prouver pour que Burbank et Carol soient définitivement innocentés. Et, à mon avis, c'est ce qui s'est passé.

— Belle théorie, ironisa Drake, à condition de pouvoir la prouver. Comment allez-vous vous y prendre, Perry ? Si ce que vous dites est vrai, seuls deux hommes pourraient le révéler, Milfield et l'assassin. Mais Milfield est mort et le criminel se gardera bien de parler.

Mason se remit à arpenter la pièce.

— Ce gars Burwell, dit-il tout à coup, semble être naïf

au-delà de toute vraisemblance, mais l'est-il vraiment ? Il nous a dit qu'il était venu à Los Angeles vendredi soir, par le « Lark » ? Mais est-ce vrai ? Avez-vous remarqué que, d'après son récit, Daphné Milfield lui a fait part de la mort de son mari *avant* qu'elle-même en ait été informée par le lieutenant Tragg, *avant* même sa propre visite ? Avez-vous remarqué combien le signalement de Burwell correspond à celui du dénommé Smith qui s'intéressait tellement au comportement nocturne des requins ?

» Supposons donc que Roger Burbank ait mis Milfield K.O., et qu'il l'ait laissé là. Carol arrive et trouve Milfield la tête près du seuil. Elle pense qu'il est mort. Mais supposons qu'à ce moment Milfield fût encore vivant ? Alors, nous devons compter sur autre chose, pour avoir une explication. Voyons, essayons d'étudier tout ça depuis le début. La marée haute était, je me suis renseigné, à dix-sept heures quarante et une. Tenons, je vais faire un petit résumé écrit...

Il prit une feuille de papier et se mit à écrire, relut ce qu'il avait noté, puis passa la feuille à Drake, cependant que Della lisait par-dessus l'épaule du détective.

Vendredi soir .... *marée haute à* 17 h 41
Marée basse .... *samedi* 0 h 03
Marée haute............... *samedi* 6 h 26
Donc yacht s'est échoué et n'a pu bouger après vendredi .... 20 h
A commencé à se pencher.......................... 21 h
S'est complètement incliné .... 22 h 30
Commence à se redresser .... 2 h
Presque droit, mais toujours échoué............ 3 h
Flotte de nouveau .... 4 h
A nouveau échoué .... 8 h 45
samedi matin
Recommence à s'incliner .... 9 h 45
Totalement incliné.......................... 11 h 15
c'est-à-dire au moment de l'arrivée de la police.

Drake étudia les notes et dit :

— Ça me semble très clair.

— Bon, fit Mason. Maintenant je vais vous faire un schéma approximatif de l'intérieur de la cabine, indiquant la position du corps.

Il arracha une autre feuille à son bloc et dessina pendant quelques minutes.

— Voilà, dit-il en tendant le dessin à Drake.

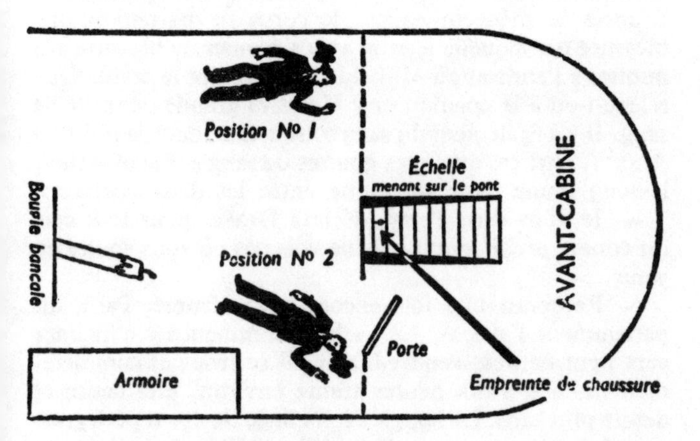

Le détective s'absorba dans l'étude du schéma.

— Comme vous voyez, déclara Mason, j'ai représenté le corps dans ses deux positions. Celle qui porte le numéro un est celle dans laquelle l'a vu Carol Burbank, la position numéro deux celle dans laquelle il a été retrouvé par la police.

» J'attire votre attention sur le fait que, lorsque le yacht s'est incliné, le corps a glissé de la position un à la position deux. Mais lorsque, à marée haute, le yacht s'est à nouveau redressé, *le corps n'est pas revenu à la position un,* et ceci pour une raison d'inertie autant que de lenteur, le bâtiment se redressant peu à peu. Donc, une fois dans la position deux, le corps y serait resté, sauf intervention humaine. Examinez bien mon dessin, et vous verrez ce que je veux dire.

— Je ne vois pas où vous voulez en venir, Perry, déclara Drake après s'être une fois encore penché sur le schéma.

— Avec ce dessin en mains, dit l'avocat, passons en revue les divers témoignages et faits en notre possession. D'après le médecin-légiste, le corps ne portait qu'une blessure par laquelle le sang a pu s'écouler, la blessure à la nuque, à l'endroit où Milfield s'est fracturé le crâne. Que relève-t-on à la position un ? Une très grande quantité de sang. Il y a également du sang sous la tête, dans la position deux. A part ça, quelques gouttes de sang sur le plancher, le long d'une ligne théorique entre les deux positions.

— Je vous suis, Perry, déclara Drake, mais tout ceci est connu, archi-connu et je ne vois pas où vous voulez en venir.

— Reprenez une fois encore mon résumé, Paul, dit patiemment l'avocat. Le yacht a commencé à s'incliner vers neuf heures, vendredi soir. Il se trouvait complètement incliné à dix heures trente environ, une heure et demie plus tard. La bougie est inclinée de dix-sept degrés, ce qui indique que, tandis qu'elle brûlait, le yacht avait atteint un peu moins de la moitié de son inclinaison maximum. A mon avis, et en tenant compte de certains facteurs, c'est peu après neuf heures du soir que le yacht avait atteint cette inclinaison, pas plus tard, en tout cas que neuf heures vingt ou neuf heures trente.

» Maintenant, en commençant à raisonner, n'omettons pas les déclarations du médecin-légiste, selon lequel l'hémorragie n'a pu se prolonger au-delà d'une demi-heure.

» Si, alors, on juxtapose les divers éléments — positions du corps, degré d'inclinaison du yacht et de la bougie, empreinte de Carol, présence de sang en position deux comme en position un, force nous est d'admettre que le crime a été commis aux environs de vingt et une heures, vendredi, après que le yacht eut commencé à se pencher.

Drake acquiesça.

— Oui, déclara-t-il lentement, ceci est corroboré par la bougie.

— Très juste, dit Mason. Etant donné l'aspect de la bougie, nous pouvons déduire qu'elle a brûlé pendant une vingtaine de minutes, entre vingt et une heures et vingt et une heures quarante-cinq. Si vous me demandez mon avis, je dirais qu'elle a brûlé entre vingt et une heures vingt et vingt et une heures quarante.

— L'obscurité était déjà tombée.

— C'est là, poursuivit l'avocat, que nous nous heurtons à quelques-uns des aspects les plus mystérieux de l'affaire. Ou bien Milfield était assis dans le noir ou alors, il existe une autre possibilité, qui me semble plus plausible. Il y avait peut-être dans la cabine un bout de bougie qui a brûlé jusqu'à l'extinction et qu'ensuite Milfield a jeté par le hublot, pour en allumer une fraîche...

— C'est certainement ça ! s'écria Drake. Oui, Perry, cette théorie-là explique tout. Milfield venait d'allumer la seconde bougie lorsque l'assassin est arrivé sur le yacht, pas plus de cinq ou dix minutes.

— Ce qui semble fixer l'heure du crime avec une précision toute mathématique, n'est-ce pas, Paul ?

Drake acquiesça silencieusement.

— Mais, reprit Mason, Roger Burbank a eu son altercation avec Milfield vendredi à dix-huit heures et Carol Burbank s'est rendue au Club dès qu'elle en eut eu vent. Elle y est arrivée entre sept et huit heures. Le yacht ne s'était pas encore penché. Elle a trouvé le corps dans la position numéro un; C'est du moins ce qu'elle m'a dit.

— Alors, s'écria Drake, cette fille ment, elle ment comme un arracheur de dents en ce qui concerne le facteur temps. Il est matériellement impossible que ç'ait été comme elle vous l'a dit.

— En effet, fit Mason. Carol Burbank doit certainement mentir. Elle a dû monter à bord du yacht peu après neuf heures du soir. La bougie a été allumée soit par Milfield, soit par l'assassin, soit par Carol. Il existe toutefois une forte possibilité également pour que la bougie ait été allumée après le crime et après le départ du meurtrier.

— Quelle que soit celle des hypothèses qui est la bonne, Perry, dit le détective, une chose est certaine — Carol Burbank ment.

— Cependant, poursuivit Mason, nous en arrivons enfin au seul fait que corrobore le récit de Carol.

— Lequel ?

— L'emplacement de l'empreinte sanglante. Celle-ci se trouve au beau milieu du barreau de l'échelle. Cela signifie que le yacht ne s'était pas encore incliné au moment où cette empreinte a été faite. Comment l'expliquez-vous, M. le détective ?

— L'empreinte... ? — Drake se gratta la tête. — Diable... En effet, cette maudite empreinte est la seule chose qui ne cadre pas avec votre théorie.

— Vous voyez ? dit l'avocat. Cette empreinte indique que Carol dit la vérité. En revanche, ce que nous savons de la bougie suggère que la jeune fille ment. Et, aussi des deux taches de sang. Et aussi des marées. Car, Paul, si l'on tient compte de tout ça, le crime ***n'a pas pu*** être commis avant neuf heures du soir.

» Par ailleurs, souvenez-vous qu'en vous occupant d'un assassinat, il faut toujours tenir compte d'un certain nombre de faits. Celui, par exemple, que le coupable ne peut jamais dire la vérité. Dans ces conditions, il faut envisager la possibilité que de tous les récits que nous avons entendus, n'importe lequel peut être faux.

— Et si l'empreinte avait été laissée délibérément ? demanda Della.

— Ah, fit Mason, je suis heureux que vous y ayez songé, mon petit. Car cette idée m'est également venue. Supposons que Carol s'y connaisse en marées, qu'elle ait un esprit de décision et des réflexes et qu'elle ait décidé, pour une raison ou pour une autre, de nous faire croire que le crime a été commis bien plus tôt qu'en réalité. Le yacht était peut-être déjà incliné au moment où elle se trouvait à bord, mais elle a pu se rendre compte que, si elle laissait une empreinte au beau milieu d'une marche, cela indiquerait que le bâtiment se tenait droit.

— Bon Dieu, Perry, voilà qui expliquerait la dernière difficulté ! s'exclama Drake. Et ça prouve simplement que nous avons sous-estimé Carol.

— Je voudrais bien que ce fût aussi simple, dit Mason en souriant, mais je crains que ce ne soit pas le cas. Tout indique que le crime a été commis vers vingt et une heures vingt, à l'exception de l'empreinte de la chaussure. C'est pourquoi il faut que je sache quand cette empreinte a été faite et, le cas échéant, dans quelles circonstances.

— N'est-il pas possible que l'empreinte ait été faite samedi matin, alors que le bâtiment s'était redressé ?

— Ça, dit Mason, c'est une éventualité que j'ai également envisagée, car c'est la seule, pour l'instant, qui offre une explication logique.

— La question est de savoir si le sang n'aurait pas séché entre-temps, fit observer Drake.

— Je ne pense pas, car la moquette de la cabine est très épaisse.

— Mais, dit Drake, si nous admettons que l'empreinte a été truquée, il s'agit d'un coup monté.

— Contre qui, Paul ?

— Contre... Oh, zut, Perry, je n'en sais rien. Contre nous-mêmes, peut-être, contre vous en particulier.

Mason acquiesça, l'air sombre.

— Cela aussi, je l'ai envisagé, Paul, et si c'était vrai, ça signifierait qu'à la Gare Centrale, Carol n'a pas laissé tomber le ticket par mégarde, mais délibérément. Elle voulait que Della le ramassât. Elle ne pouvait évidemment pas prévoir l'intervention d'un détective. — L'avocat reprit le résumé qu'il avait rédigé et l'étudia. — Mes enfants, dit-il à Drake et à Della, je crois que nous allons procéder à une petite expérience.

— Consistant en quoi ? demanda Drake.

— Ce soir, déclara Mason, la marée haute sera à vingt et une heures quarante-deux, la marée basse à deux heures cinquante-quatre. En tenant compte de ce que nous savons, le yacht devrait être échoué ce soir à onze heures environ, commencerait à s'incliner vers minuit et serait complètement penché à une heure trente du matin. Je me propose de procéder à cette expérience entre minuit et deux heures moins le quart.

— Où est le yacht ?

— En ma qualité de représentant légal des propriétaires, expliqua l'avocat, j'ai réussi à faire lever les scellés et à me faire confier la garde du bâtiment. D'autre part, j'ai demandé à Cameron, le gardien du *Yacht Club,* de veiller à ce que cette nuit, le yacht se trouve à l'emplacement exact où il était durant la soirée du meurtre. C'est pourquoi, peu avant minuit, nous monterons à bord pour étudier l'effet de la marée.

Drake s'assombrit.

— Qu'est-ce que vous avez, Paul ? s'enquit l'avocat.

— C'est bien ma veine, grogna le détective. Vous choisissez précisément le jour où j'ai un début de grippe et où tous mes os me font mal comme si j'avais été rompu vif.

— Alors, Paul, allez vous coucher et soignez-vous. Mais moi, j'ai des obligations envers mes clients. Et je veux être en mesure de soumettre demain matin à la Cour une démonstration qui tienne debout. Si je réussis, le non-lieu est certain. Sinon...

— Patron, dit Della à mi-vois, je vais vous accompagner.

— Sornettes, mon petit ! s'écria Mason. Vous allez vous coucher, comme Paul.

— Non, ma décision est prise. Je vais avec vous.

— Alors, Della, venez, fit l'avocat en souriant.

CHAPITRE XVIII

Une légère brume flottait sur l'eau, pas assez épaisse toutefois pour masquer le ciel où scintillaient des milliers d'étoiles.

Mason aida Della à descendre de voiture et leurs pas résonnèrent sur la jetée de bois menant à la cabane de Cameron. Les silhouettes des yachts ancrés dans le port du Club semblaient irréelles et fantomatiques dans la grisaille de la nuit.

Une lumière brillait dans la cabane. Cameron dut entendre l'approche des visiteurs car la porte s'ouvrit au moment où l'avocat et sa secrétaire l'atteignaient.

— Bonsoir, Cameron, dit Mason.

— Bonsoir, Maître.

— Tout est prêt ? s'enquit l'avocat.

— Ouais... — Cameron avait une pipe à la bouche et parlait entre ses dents. — Mais si j'ai un conseil à vous donner, c'est de rentrer un instant, et de vous réchauffer. Il va faire frais, cette nuit, surtout là-bas. J'ai mis de l'eau à chauffer et je vais vous préparer un bon grog...

— N'en dites pas plus long, coupa l'avocat. Accepté d'avance.

— Deux verres ou trois ? demanda Cameron en jetant un coup d'œil à Della.

— Trois, répliqua-t-elle.

— Et faites-les forts, vos grogs, recommanda Mason.

Cameron les fit entrer, se dirigea vers le poêle et se mit au travail.

— Vous ne voulez pas vous débarrasser ? demanda-t-il par-dessus son épaule.

— Non, on va partir dès qu'on aura bu, dit l'avocat.

Cameron vint leur apporter des verres remplis de grog brûlant.

— Mmm, bon, fit Mason après y avoir trempé les lèvres.

— Délicieux, renchérit Della.

— C'est du rhum de la Jamaïque, expliqua Cameron. Et j'en consomme pas mal, vu mon métier. Il fait frais sur le port pendant neuf mois de l'année. Et comme je suis censé faire des rondes... Il y a des nuits où je suis drôlement content de réintégrer ma petite cabine.

— Vous ne vous sentez pas solitaire, des fois ? s'enquit Della.

— Non, répliqua-t-il en tirant une bouffée de sa pipe. J'ai des bouquins et la radio. On souffre de la solitude dans une grande maison, mais ici, c'est différent.

— Combien de temps nous faudra-t-il pour atteindre le yacht ? demanda Mason.

— Oh, pas plus de dix minutes. Une fois qu'on y sera, voulez-vous que je reste avec vous ? Mais, si vous n'avez pas besoin de moi, je viendrai vous rechercher vers deux heures.

— Ça me va, répliqua l'avocat. Pas la peine que vous perdiez votre temps.

— Au fond, avoua Cameron, je préfère ça. Je n'aime pas laisser ma cabane sans surveillance, on ne sait jamais. Avez-vous découvert quelque nouvel indice, Maître ?

— Non, répliqua l'avocat en riant, on va justement en chercher sur le yacht.

— Hum...

— Oui, je comprends votre scepticisme, mais enfin, on ne sait jamais.

— Comme vous dites. Comment ça a marché, mon témoignage ? Il n'a pas nui à la Défense ?

— Non, ce serait même plutôt le contraire.

— Tant mieux. J'espère bien que vous les tirerez d'ennui, tous les deux. Ce sont de braves gens, Mr. Mason. Mr. Burbank, je pourrais même en dire que c'est un ami. Et sa fille, si polie, si gentille... A votre disposition, messieurs-dames, ajouta-t-il en voyant que Mason et Della avaient vidé leur verre.

— En route, décida l'avocat.

Ils quittèrent la cabane, descendirent quelques marches de bois et, peu après, étaient installés dans un canot à moteur. La petite embarcation parut hésiter quelques secondes, puis s'éloigna rapidement de la jetée et, luttant contre le courant, se dirigea vers le yacht.

— Le courant est fort, fit observer Mason, tandis que Della ramenait frileusement son manteau sur elle.

— Bah, à condition de connaître les lieux, ce n'est pas bien dangereux, déclara Cameron.

— C'est un métier passionnant que le vôtre, dit l'avocat. D'ici que je demande à passer un examen de pilote...

Cameron eut un rire bref.

Ils atteignirent le yacht, en firent le tour, s'immobilisèrent contre la lisse du bâtiment. Mason monta le premier, puis aida Della à la rejoindre.

— Déjà échoué ! cria Cameron.

— Oui, confirma Mason.

— Faites bien attention quand ça commencera à pencher, recommanda le gardien. Un faux pas et vous vous étalez de tout votre long. Alors, à deux heures ?

— D'accord.

— Surveillez-vous, Maître. Et vous aussi, Miss Street. Quand ça se mettra à pencher... Vous êtes sûrs que vous ne voulez pas que je reste ?

— Non, ça ira comme ça, le rassura l'avocat.

— Et vous êtes certain d'en avoir terminé avec vos recherches à deux heures ?

— Sauf imprévu, oui.

— En ce cas, à tout à l'heure.

Cameron remit le moteur en marche et le canot s'éloigna, disparaissant rapidement dans la nuit.

— On va se rendre sur les lieux du crime, Della, déclara Mason en tirant de sa poche une torche électrique. Faites bien attention, mon petit.

— Quel confort ! s'écria la jeune femme après qu'ils eurent pénétré dans la cabine.

— Pas mal, convint l'avocat en allumant une bougie.

— Comment Burbank se chauffe-t-il en hiver ?

— Il y a un poêle à charbon et à bois, expliqua Mason, lequel sert également à la cuisson des aliments. Vous voyez là-bas, dans le coin ? J'ai demandé à Cameron de le charger... — Il gratta une allumette, la jeta dans le poêle. Quelques instants après, papier et margotins flambaient joyeusement. — Là, on ne va pas geler. Et maintenant, Miss, nous n'avons plus qu'à attendre.

Della consulta son bracelet-montre.

— Quand le yacht commencera-t-il à s'incliner ? s'enquit-elle.

— Dans quelques minutes, je pense... Je veux établir à quel moment précis de la marée basse un corps peut rouler sur lui-même et comment le bâtiment se penchera au moment où l'eau se sera presque complètement retirée.

Della réprima un frisson.

— Nerveuse ? demanda l'avocat.

— Un peu, reconnut-elle. L'atmosphère, ici, me paraît un peu lugubre, avec cette flamme vacillante... Patron, si on éteignait la bougie ? On y verra assez clair avec le poêle. Et puis... Elle hésita... nous serions moins exposés. Les hublots sont bien bas. Si quelqu'un venait...

Mason souffla la bougie.

— J'aime mieux ça, dit la jeune femme. Tout à l'heure, j'avais l'impression que des yeux nous surveillaient par les vitres.

Mason lui serra le bras.

— N'y pensez pas, Della, dit-il. Personne ne sait que nous sommes à bord.

Elle rit, encore un peu nerveuse, puis parut se détendre.

Dans le poêle, le bois pétillait avec de petits craquements et les reflets du feu dansaient sur les murs de la cabine. Un silence complet s'établit, troublé seulement par le bruit de l'eau qui s'écoulait sous le yacht. Mason consulta le cadran lumineux de sa montre-bracelet.

— Nous y sommes, dit-il. Je vais m'étendre par terre et jouer le rôle de cadavre.

Della jeta un coup d'œil à la tache sombre sur la moquette.

— Je n'aime pas l'idée que vous allez vous allonger à cet endroit.

— Pourquoi ?

— C'est sinistre. Ça peut porter... Ne pourriez-vous procéder à l'expérience dans l'autre coin ?

— Non, répliqua l'avocat. Je vais reconstituer les faits tels qu'ils se sont déroulés.

Il alla s'étendre par terre, la tête à un centimètre ou deux du seuil.

— Alors, fit-il à mi-voix, vous n'avez plus peur, Della ?

— Je ne sais pas, fit-elle d'un ton mal assuré. Ça me fait, malgré moi, penser à des histoires de fantômes.

— Si seulement celui de Milfield pouvait apparaître devant nous pour nous raconter ce qui s'est passé...

Della se leva et alla s'asseoir sur la moquette, à côté de Mason, dont elle serra la main.

— Vous êtes courageuse, mon petit, dit-il. N'oubliez pas que je suis un cadavre.

— N'avez-vous pas l'impression d'en être un ?

— Pas le moins du monde.

Le yacht commença à s'incliner légèrement.

— Pas assez encore pour me faire glisser, dit l'avocat. Quand ça viendra, il nous faudra consulter la montre, pour savoir à quel moment précis ça s'est produit. Où est la torche, Della ?

— Sur la table.

Mason soupira.

— On a eu une journée chargée, dit-il. Pour dur que soit ce plancher, malgré la moquette, j'ai l'impression de me détendre, de me reposer.

— Vous vous donnez trop de mal pour vos clients, patron, dit Della en serrant plus fort les doigts de l'avocat.

Ils demeurèrent silencieux quelque temps.

— Pas loin d'une heure et demie, fit tout à coup la jeune femme.

— Dans dix minutes, un quart d'heure au plus tard, nous connaîtrons la vérité.

— Détendez-vous pour de bon, patron, conseilla-t-elle. Si vous pouviez vous assoupir, ce serait mieux encore. Alors, votre corps serait plus inerte, et l'expérience plus concluante.

— Si je pouvais...

Pourtant, quelques minutes plus tard, il dormait, cependant que Della, s'enhardissant, lui caressait doucement les cheveux. Bientôt, la jeune femme, elle aussi, sentit le sommeil la gagner. Le silence qui les entourait, la chaleur répandue par le poêle, la fatigue et l'énervement de la journée eurent bientôt raison d'elle.

Soudain, le plancher craqua et, au même instant, le yacht, après avoir paru hésiter une seconde, s'inclina brusquement.

Della s'éveilla en sursaut, tendit le bras et, instinctivement, s'agrippa au premier objet que rencontrèrent ses doigts — le seuil bardé de cuivre. Le corps de Mason roula sur lui-même. L'avocat, tiré de sa torpeur, tenta de se rattraper à la moquette mais n'y parvint pas et vint heurter bruyamment le côté tribord de la cabine. Della étouffa un cri, puis un petit rire s'éleva dans l'obscurité.

— Ne craignez rien, entendit-elle la voix de Mason. L'expérience a réussi au-delà de toute espérance. Voyons un peu l'heure... Une heure quarante-trois. Autrement dit, quatre heures une après la marée haute. Bien sûr, il y a quelques minutes de décalage par rapport au jour du crime mais...

Il se tut brusquement.

— Qu'est-ce que c'est ? fit Della, inquiète.

— Taisez-vous et écoutez, Della, dit l'avocat.

Elle réprima son envie de parler et tendit l'oreille. Effectivement, un léger bruit leur parvenait du dehors, une espèce de clapotis régulier, rythmé. La jeune femme ne put y tenir.

— Patron, qu'est-ce que c'est ? murmura-t-elle d'une voix angoissée.

— Une barque, répliqua-t-il tout bas.

— Qui se dirige vers nous ?

— J'en ai l'impression. On entend de plus en plus distinctement le bruit des rames.

— C'est peut-être Cameron...

— Non, il a un canot à moteur. Et puis, c'est trop tôt.

— Son moteur est peut-être tombé en panne.

— Taisez-vous, Della... Où êtes-vous ?

— Ici, à côté du poêle. J'ai trouvé le tisonnier... Si c'était l'assassin...

— Chut... ! — Il rampa vers elle dans le noir. — Où est la torche ?

— Elle a dû tomber lorsque le yacht s'est penché. Tenez, patron, prenez le tisonnier. Comme ça, on ne sera pas tout à fait désarmés.

Soudain le yacht vibra légèrement, comme si un canot venait de heurter la coque et, quelques instants après, des pas résonnèrent sur le pont.

Mason agrippa Della par le bras, l'aida à se relever.

— Cachons-nous, dit-il. Vite !

Ils se réfugièrent dans un coin, masqués par une armoire. Le rayon d'une torche électrique balaya soudain l'intérieur de la cabine, puis s'éteignit. A la lumière du poêle, ils virent une jambe apparaître sur le seuil. Le mystérieux visiteur demeura quelques secondes immobile, après quoi la jambe disparut. Des pas résonnèrent de nouveau sur le pont, puis un bruit de rames leur parvint.

— Vite ! dit Mason en se dirigeant, d'une démarche incertaine, vers la porte. La torche, Della !

Il escalada non sans difficulté les barreaux de l'échelle, et l'air froid de la nuit le frappa en plein visage.

— Eh là, vous ! cria l'avocat. Revenez !

Le rythme des rames s'éloignait, devint plus rapide, plus saccadé. La brume s'était transformée en brouillard, et l'on ne distinguait plus grand-chose à une distance de cinq ou six mètres.

— Voilà la torche, patron, dit Della en glissant dans les mains de Mason un cylindre métallique.

L'avocat appuya sur le bouton et envoya un rayon de lumière dans le brouillard, mais sans rien apercevoir.

Le bruit des rames s'estompait lentement dans le lointain.

Mason étouffa un juron.

— Qu'est-ce qui l'a effrayé ? demanda Della. Nous ne faisions pas de bruit.

— Le poêle, répliqua-t-il. Il allait entrer quand la chaleur de la cabine a attiré son attention. Et il a tout de suite deviné qu'il n'était pas seul.

— Bon Dieu, patron, je n'ai jamais eu aussi peur de ma vie. Je sentais presque mes genoux s'entrechoquer.

Mason éteignit la torche et secoua la tête.

— Si seulement Cameron avait l'idée d'arriver un peu plus tôt ! dit-il. Nous pourrions donner la chasse à notre visiteur inconnu. Ecoutez, Della... C'est un moteur... Et le bruit nous parvient de l'endroit où l'autre barque a disparu... Cameron l'aurait-il rencontrée ?

Il ralluma la torche et se mit à faire des signaux, en l'agitant à bout de bras. Deux minutes plus tard, l'embarcation de Cameron s'immobilisait à côté du yacht, et l'avocat et sa secrétaire y prenaient place.

— Vite, dit Mason à Cameron. Il y a une barque à rames à rattraper. Elle s'est perdue dans la direction d'où vous venez. Accélérez, peut-être aurons-nous le temps de la rejoindre.

— Une barque ? fit le gardien, surpris. Je n'ai pas loué de barque.

— Peu importe. Pressons-nous.

Cameron obéit et, l'espace de deux minutes, son canot fila à un véritable train d'enfer. Puis Mason lui posa la main sur l'épaule.

— Arrêtez et coupez le moteur, dit-il. Ecoutons si nous n'entendons pas quelque chose.

Le gardien s'exécuta. Le canot s'immobilisa, le bruit de son moteur mourut et il n'y eut bientôt autour d'eux qu'un silence d'autant plus impressionnant que le brouillard qui les enveloppait faisait penser à quelque décor fantastique, issu de l'imagination d'un metteur en scène surréaliste. Ils écoutèrent, tous leurs sens en éveil, mais ne perçurent rien.

— Nous n'avons aucune chance de la rattraper par ce temps, dit Cameron à Mason à mi-voix. S'il se rend compte que nous approchons de lui, le rameur n'a qu'à s'arrêter pour nous empêcher de l'entendre.

— Il faut que je le rattrape, déclara Mason. Essayez de zigzaguer en tous sens.

Cameron acquiesça et remit le moteur en marche. L'embarcation coupa le brouillard. Installé à l'avant, l'avocat tendait le cou, scrutant la nappe blanche qui les entourait.

— Je crois qu'il vaut mieux arrêter, Maître, lui dit Cameron. Je risquerais de me perdre, car on ne voit même plus les points de repère. A vrai dire, je ne sais même plus où nous nous trouvons actuellement.

— Tant pis, décida l'avocat. De toute façon, c'est chercher une aiguille dans une botte de foin. Où est le yacht ? Je voudrais y retourner.

— Je me le demande, fit Cameron. Enfin, je vais toujours essayer de le retrouver... Dites-moi, Mr. Mason, pourquoi quelqu'un se serait-il rendu à bord du yacht, cette nuit ?

— Je n'en sais fichtre rien, répondit lentement l'avocat. Ce n'est certainement pas pour venir chercher quelque chose. Peut-être savait-il que nous étions là-bas... Eh là, un instant. Je commence à me demander s'il ne serait pas malsain d'y revenir. Cet inconnu a peut-être...

Une violente explosion lui coupa la parole et, au même instant, une vive lueur perça l'opacité du brouillard, à quatre ou cinq cents mètres à leur gauche. Ils perçurent nettement le souffle de l'air. Quelques secondes plus tard, une autre déflagration, guère moins brutale, secoua le port endormi.

Presque instinctivement, Cameron avait coupé les gaz. Un silence complet suivit la seconde explosion, puis un bruit de débris tombant sur l'eau leur parvint aux oreilles.

— Et voilà, dit Mason. J'ai éprouvé comme une espèce de prémonition.

Cameron ralluma sa pipe éteinte.

— On rentre ? demanda-t-il.

— Oui.

Ils ne se parlèrent plus de tout le reste du trajet. Lorsqu'ils eurent enfin atteint la jetée, Mason, en aidant Della à atteindre la première marche, sentit qu'elle tremblait.

Cameron les mena à sa cabane, alluma l'électricité et, sans rien dire, se dirigea vers le poêle et se mit en devoir de préparer des grogs.

— Voilà qui ne vous fera pas de mal, déclara-t-il enfin en tendant des verres à ses visiteurs. Tiens, qu'est-ce que c'est... ?

Il s'interrompit et dressa l'oreille.

— Une voiture, annonça-t-il.

— Quelle heure est-il ? s'enquit Mason.

— Deux heures quinze.

— J'ai l'impression d'avoir vécu un siècle, dit Della avec un rire nerveux.

— Cameron, fit l'avocat, passez-moi l'horaire des marées. Je vou...

Des pas résonnèrent sur la jetée de bois menant à la cabane.

— Ils viennent par ici, déclara le gardien. Probablement la police.

La porte s'ouvrit sans qu'on eût frappé et deux hommes en uniforme se dressèrent sur le seuil. Sans prêter la moindre attention à Mason et à Della, ils fixèrent Cameron, puis l'un d'eux demanda :

— Qu'est-ce que c'est que cette explosion ?

— Le yacht de Burbank, répliqua l'homme.

— C'est ce que nous pensions. Vous y avez emmené quelqu'un, ce soir ?

D'un geste, le gardien indiqua l'avocat et sa secrétaire.

— Vous pouvez jurer qu'ils ont été à bord du yacht ?

— Oui.

— Combien de temps avant l'explosion ont-ils quitté le bâtiment ?

— Cinq à dix minutes. Pas plus de dix minutes.

L'agent toisa Mason.

— On va rendre une petite visite au Q.G., mon brave, fit-il.

— Ne soyez pas ridicule, rétorqua Mason. Je dois être au tribunal ce matin à dix heures. Je suis Perry Mason.

— Même que vous soyez Ponce Pilate, vous allez nous suivre au Q.G.

— Pendant que nous étions sur le yacht, expliqua l'avocat, une barque à rames s'en est approchée et nous avons entendu des pas sur le pont. Puis la porte de la cabine s'est ouverte et nous avons vu une silhouette. Le visiteur a toutefois probablement deviné qu'il n'était pas seul, car le poêle était allumé. Je me demandais ce qu'il venait faire là. Maintenant, je sais. Il a placé une bombe à retardement.

— Cet homme, comment était-il ?

— Nous n'en avons vu que la silhouette.

— Et la barque ?

— Nous avons simplement entendu le bruit des rames.

L'agent sourit d'un air moqueur.

— Et vous voulez que je vous croie ? Un enfant inventerait mieux.

— Pour l'amour de Dieu, dit l'avocat d'un ton crispé, ne perdons pas de temps. Appelez le Q.G. par radio et qu'on envoie des hommes patrouiller le port. Le criminel n'a peut-être pas encore accosté, et vous auriez des chances de l'arrêter.

— Si j'agissais de la sorte, répliqua le flic, je deviendrais la risée de tous les gens sensés. Non, Mason, je suis désolé, mais en ce qui me concerne, un seul homme a pu faire sauter le yacht, c'est vous. Et d'abord, qu'est-ce que vous êtes allé faire là-bas ?

— Etudier les effets de la marée.

— Vous entendez ? fit l'agent en se tournant vers son collègue et Cameron, comme pour les prendre à témoin.

— De toute façon, demanda l'avocat, pourquoi aurais-je voulu faire sauter le yacht ?

— Vous aviez sans doute de bonnes et solides raisons, rétorqua le flic. Et probablement meilleures que celles de n'importe qui d'autre. Si vous n'y êtes pour rien, venez avec moi, vous pourrez vous expliquer au Q.G.

— Mais le criminel ! s'écria Mason. Il va nous échapper, une fois de plus.

— Vous y croyez vraiment, à votre « criminel » ? fit l'agent d'un ton sarcastique.

CHAPITRE XIX

La salle d'attente du commissariat du port n'était éclairée que par une ampoule de faible puissance, descendant du plafond par un simple fil. Les traits tirés, les yeux cernés, Perry Mason se rejeta en arrière sur sa chaise puis, tendant les jambes, posa les pieds sur le bord de la table.

— Et si vous essayiez de dormir ? dit-il à Della.

— Je vous avoue, patron, que je n'ai plus du tout sommeil, répondit-elle.

— J'attends cinq minutes encore, puis je commence à faire du scan...

La porte s'ouvrit et le lieutenant Tragg entra dans la pièce, suivi du flic qui avait arrêté l'avocat et sa secrétaire.

— Et maintenant, dit l'agent, si vous racontiez au lieutenant ce qui s'est passé ? Vous...

— A partir de maintenant, c'est moi qui interroge, Medford, coupa Tragg. — Il s'approcha de Mason. — Alors ?

D'un geste de la tête, l'avocat indiqua Medford.

— Votre collaborateur souffre de scepticisme aigu. Par sa faute, nous avons raté une chance unique d'épingler le criminel.

— Je vous écoute, déclara Tragg en s'installant sur une chaise, de l'autre côté de la table.

Mason lui raconta son séjour sur le yacht et lui parla de la venue de la barque et de l'explosion.

— Qu'est-ce que vous alliez faire sur le yacht ? s'enquit Tragg.

— Je voulais étudier l'effet de la marée.

— Sur quoi ?

— Je me suis allongé par terre pour connaître l'heure exacte à laquelle je roulerais à l'autre bout de la cabine, lorsque le bâtiment se serait incliné.

— Et qu'avez-vous découvert ? fit le policier avec un intérêt visible.

— Que le yacht s'est brusquement penché sur un côté quatre heures une minute après la marée haute.

— Combien ? fit Tragg, incrédule.

— Quatre heures une minute, répéta Mason. — Il bâilla et s'étira. — Il faudra calculer le décalage par rapport aux heures de marée le jour du crime... Et maintenant, mon cher Lieutenant, ou bien vous allez nous autoriser, Della et moi, à regagner nos pénates, ou bien vous allez nous montrer un mandat en bonne et due forme qui vous permette de nous détenir.

Tragg poussa un soupir et se leva.

— Ce sera tout, Medford, déclara-t-il. Vous pouvez disposer.

L'agent hésita.

— Vous les laissez aller, Lieutenant ? dit-il. Ils sont coupables, j'en mettrais ma main au feu. Si vous aviez vu leurs expressions, lorsque je les ai trouvées dans la cabane du gardien.

— Malheureusement, je n'ai rien vu, fit Tragg d'un ton las. Ce sera tout, Medford.

Le flic quitta la pièce, l'air visiblement déçu.

Tragg s'approcha de l'avocat.

— Si ce que vous dites est vrai, déclara-t-il, le meurtre aurait été commis vers vingt et une heure quarante.

— A quelques minutes près. Et pourtant, fit observer Mason, le Parquet estime que celui-ci a été commis entre dix-sept heures trente et dix-huit heures.

— Plus, reconnut le lieutenant. Pas après vos révélations concernant les marées et les déclarations du médecin-légiste au sujet de l'hémorragie.

— Je crains que Hamilton Burger ne vous suive pas.

— Je n'en sais rien, mais il y a quelqu'un d'autre qui vous donne raison.

— Qui ça ?

— Le juge Newark. Je ne violerai aucun secret en disant que ce matin, au tribunal, il va se livrer à quelques petites opérations d'arithmétique. Je ne dis pas que Burger soit heureux de la tournure des événements, mais il faut lui rendre justice. A partir du moment où il a commencé à avoir des doutes, il a changé ses batteries. Si vous l'aviez entendu interroger Douglas Burwell !

— Ah, vous avez fini par le retrouver, celui-là ?

— Sûr.

— Et qu'a-t-il déclaré ?

— Son histoire du « Lark » c'était de la fumisterie. Il n'est pas venu par le train vendredi soir, mais par l'avion vendredi après-midi. Mrs. Milfield et lui se sont vus et parlé à l'aéroport de Los Angeles. Mrs. Milfield semblait terriblement nerveuse. Elle a fini par annoncer à son amoureux que son mari était sur le yacht de Burbank et, qu'avant de prendre une décision finale concernant une éventuelle rupture, elle aurait avec lui une dernière explication. Elle a proposé à Burwell de se rendre au Yacht Club, d'y louer une barque et de l'attendre à un endroit du port.

— Pourquoi n'est-elle pas allée avec lui louer la barque ?

— Elle a dit que le gardien la connaissait et qu'elle ne voulait pas être vue en compagnie d'un homme.

— O.K. Quelles autres bonnes nouvelles allez-vous m'annoncer ?

— Burwell a fait ce qu'elle lui demandait. Mrs. Milfield l'attendait déjà à l'endroit convenu. Ils se sont rendus au yacht, Mrs. Milfield tenant les rames. Puis elle a laissé Burwell dans la barque, est montée à bord, a allumé une bougie et est restée là-bas une vingtaine de minutes, pendant que son petit ami grelottait dans son embarcation. Le yacht était déjà bien incliné. Burwell n'a pas entendu de voix, ni de bruit de lutte. Après qu'elle l'eut rejoint, Mrs. Milfield lui a dit que son entretien avec son mari s'était déroulé aussi bien que possible, qu'ils étaient arrivés à une entente au sujet de la dissolution de la communauté et qu'elle rejoindrait son bien-aimé dès que la décence le permettrait. Entre-temps, elle lui a suggéré de rentrer à l'hôtel et d'attendre la suite des événements.

— Burwell lui a-t-il demandé des précisions ?

— Il ne l'aurait pas osé. Ce gars est le type même de l'amoureux transi. Il gobait tout ce qu'elle lui disait. Mais je poursuis mon récit. Mrs. Milfield lui a téléphoné le lendemain matin, samedi, à onze heures pour lui annoncer que son mari était mort et que si on l'interrogeait, lui, Burwell, il devait soutenir mordicus qu'il était venu par le « Lark » et ne parler à personne de leur expédition sur le yacht.

— Et Mrs. Milfield, que déclare-t-elle ?

— Mrs. Milfield est revenue sur ses précédentes affirmations. Elle reconnaît être allée à bord du yacht, mais dit qu'elle y a trouvé son mari mort sur la moquette de la cabine.

— A quel endroit ?

— C'est là, dit Tragg, que les choses se gâtent. Elle prétend qu'il était à côté du seuil, la tête à un ou deux centimètres de celui-ci, ajoutant que le yacht avait commencé à se pencher, mais qu'il ne s'était pas encore complètement incliné. Elle a précisé qu'une bougie brûlait sur la table, ou du moins ce qu'il en restait. La flamme se serait éteinte alors qu'elle était là, sur quoi elle a allumé une autre bougie, se servant, pour la fixer, de la cire encore chaude de l'autre. Elle dit que sa bougie était bien perpendiculaire. Elle a eu la franchise de reconnaître que son mari ne présentait pour elle qu'un intérêt, celui de pouvoir l'entretenir. Il détenait des parts dans cette affaire de pétrole, et elle avait décidé que ce serait bête de le plaquer au moment où il était sur le point de devenir riche. Elle avait donc pris la décision d'attendre, pour qu'augmente sa quote-part lors de la dissolution de la communauté.

— Et que dit-elle de son voyage manqué à San Francisco ?

— D'après elle, un de ses amis l'a rattrapée à l'aéroport et a réussi à lui faire entendre raison.

— Et Burger, que dit-il de tout ça ?

— Il n'en est pas très fier. Et il ne serait pas content s'il savait que je vous ai tout raconté. D'ailleurs, en agissant ainsi, j'avais d'excellents motifs.

— Lesquels ?

— Eh bien, je comptais vous demander de me faire part de ce que vous avez découvert de votre côté.

— Vous êtes sincère ?

— Oui, Mason.

— Comment voulez-vous que je joue franc jeu avec vous, Tragg, après ce que vous avez fait à Della ?

— J'aurais agi ainsi avec n'importe quelle autre personne que vous auriez chargée de vous tirer les marrons du feu. Nous sommes des deux côtés de la barricade, Maître. Vos méthodes sont brillantes, je le reconnais mais pas très régulières. Aussi longtemps que vous me porterez des coups bas, je m'estimerai en droit de vous les rendre. Mais, pour une fois je vous tends un rameau d'olivier. Mettez-vous à table, et j'oublierai l'incident Della Street.

L'avocat réfléchit.

— Ça me semble assez raisonnable, convint-il enfin. Cependant, vous reconnaîtrez certainement qu'il m'est impossible de vous dévoiler *toutes* mes batteries. Je me propose donc de vous fournir la clé de l'affaire. A vous de tirer les conclusions qui s'imposent.

— Et quelle est cette clé ?

— Une personne escaladant une échelle *penchée* laisserait son empreinte dans un coin, et non au milieu d'un barreau.

Tragg fronça les sourcils.

— De quoi diable parlez-vous ?

— Eh bien, je vous ai donné l'élément numéro un de l'affaire.

Tragg alluma un cigare.

— Mason, dit-il d'un air sombre, il se peut que cela vous aide à repêcher Roger Burbank, mais alors c'est sa fille, Carol, qui risque de se retrouver dans la chambre à gaz.

— Je vous ai dit de tirer vous-même vos conclusions, Tragg. Prenez une échelle, inclinez-la sur le côté et essayez de l'escalader. Moi, j'ai procédé à cette petite expérience.

Tragg fuma quelque temps en silence.

— Je crains, dit-il enfin, que vous n'ayez trop parlé. Je retire ma branche d'olivier.

— Je m'y attendais un peu, fit en souriant l'avocat.

— Et ne croyez pas que je prenne pour de l'argent ce que vous m'avez dit au sujet de l'effet des marées. Quatre heures une minute. Ha !

— Je vous ai communiqué le résultat de mes observations.

— Ouais, mais qui me dit que vous m'avez donné le résultat *exact ?*

— Alors, vous ne me croyez pas ?

— Je n'en sais fichtre rien. Après tout, vous essayez de protéger votre client.

— Ça, je n'en disconviens pas.

— Alors...

— Eh bien, la Cour nous départagera. De toute façon, l'affaire est dans le sac, en ce qui me concerne. Je suis tellement fatigué que j'enverrai sans doute Jakson à ma place. — L'avocat se leva et fit signe à Della. — En route, mon petit.

En sortant du commissariat, ils se heurtèrent à Medford qui leur jeta un regard chargé d'hostilité.

— Je vous salue, M. l'agent, déclara Mason d'un ton aimable. Je ne crois pas me tromper en vous disant que votre chef, le lieutenant Tragg, désire vous dire quelques mots en particulier.

CHAPITRE XX

En s'installant à sa place, le juge Newark jeta un coup d'œil au banc de la Défense et ne put s'empêcher de manifester une certaine surprise.

— Maître Mason n'est pas là ? demanda-t-il.

— Maître Mason m'a chargé de le remplacer, annonça Jackson.

— Plaise à la Cour, commença Hamilton Burger, le ministère public désire...

— Un instant, l'interrompit le juge. Avant d'entendre la moindre déclaration, la Cour a une importante communication à faire aux deux parties. La Cour désire étudier l'horaire des marées et suggère que les conclusions soient versées aux débats. Mr. le District Attorney, vous est-il possible de faire procéder à des expériences, en vue d'établir à quelle heure précise le corps a pu rouler d'un coin de la cabine dans un autre, sous l'effet de l'inclinaison du yacht ?

Hamilton Burger avala sa salive.

— Je crains, Votre Honneur, que ce ne soit tout à fait impossible, dit-il d'un ton ennuyé. Des événements se sont produits cette nuit qui incitent le Ministère public à demander une remise. J'ai le regret d'annoncer à la Cour que le yacht de Mr. Roger Burbank a été détruit peu après minuit par l'explosion de ce qui semble être une bombe à retardement.

— Et le Parquet n'avait procédé à aucune expérience

avant la destruction du bâtiment ? fit le juge d'une voix irritée.

— Non, Votre Honneur. Je crois toutefois savoir que des expériences ont été faites par Mr. Mason.

— Mais il n'est pas là.

— Non, en effet.

Newark remassa un crayon et se mit à jouer avec.

— C'est très ennuyeux, dit-il. La Cour porte un vif intérêt à la question des marées. Je puis dire que l'affaire tout entière repose là-dessus. Mr. Jackson, consentez-vous à une remise, comme le propose le Ministère public ?

— J'ai reçu pour instruction de m'y opposer, Votre Honneur.

— La loi prévoit un tel conflit entre les parties à ce stade de la procédure, dit le juge. Vous ne pouvez obtenir satisfaction, Mr. Burger, que si vous produisez un *affidavit* délivré par un magistrat. En avez-vous un ?

— Non, Votre Honneur, le Ministère public ne pouvait prévoir que les événements prendraient une telle tournure. J'estime cependant que ma suggestion ne lèserait en rien les intérêts des inculpés.

— La Défense semble être d'un avis opposé, fit observer Newark.

— Plaise à la Cour d'ordonner au moins une suspension jusqu'au début de l'après-midi, fit Burger d'un ton désespéré. Alors, je pourrais contacter Mr. Mason et...

— Acceptez-vous que les débats soient suspendus jusqu'à cet après-midi ? demanda le juge à Jackson.

— M. Mason m'a enjoint de m'y opposer, rétorqua Jackson.

— Alors, trancha le juge, le Ministère public est prié de poursuivre.

Le D.A. redressa la tête, l'air sombre.

— En ce cas, déclara-t-il, le Ministère public demande à la Cour de rayer l'affaire des rôles du tribunal.

Le juge Newark fronça les sourcils.

— J'estime, dit-il, que l'attitude du Parquet manque

de la logique la plus élémentaire. L'Accusation a manifestement mal préparé son affaire, ce qui ne peut qu'influencer fâcheusement l'opinion publique. — Il tourna la tête vers Jackson. — La Défense accepte-t-elle que l'affaire soit rayée des rôles de la Cour ?

— Je n'ai aucune instruction contraire, Votre Honneur.

— Très bien, dit Newark. La Cour ordonne qu'il en soit ainsi. Les inculpés seront remis en liberté. Je tiens toutefois à avertir le Ministère public que, s'ils étaient arrêtés à nouveau, la Cour ne pourrait pas ne pas tenir compte des incidents qui ont émaillé les débats préliminaires. La Cour s'ajourne *sine die.* — Il se tourna alternativement vers Burger et Jackson. — Puis-je prier les représentants des deux parties de me suivre ? J'ai un certain nombre de questions à leur poser.

Jackson se leva et courut vers la cabine téléphonique la plus proche.

— Gertie, demanda-t-il après avoir obtenu le numéro de Mason, est-ce que le patron est là ?

— Il n'est pas encore arrivé, répliqua la réceptionniste.

— La situation se complique ici. Le juge a prié le Parquet et la Défense de se rencontrer dans son bureau. Il exigera des explications et je n'ai pas assez d'éléments en main. Newark semble s'intéresser prodigieusement aux marées. Je crois que Mr. Mason devrait venir le plus tôt possible.

— Où en est l'affaire ?

— Rayée des rôles de la Cour.

— O.K., je vais essayer d'atteindre le patron. Essayez de faire traîner les choses en longueur. Et dès que j'aurai parlé à Mr. Mason, je vous téléphonerai pour faire patienter le juge.

Jackson raccrocha et se dirigea vers le bureau des magistrats. Il y trouva, outre le juge, Hamilton Burger et Maurice Linton qui échangeaient des regards consternés. Quant à Newark, il s'amusait à dessiner sur un bloc.

— Alors ? fit le juge. Aurons-nous le plaisir de voir Mr. Mason ce matin ?

— Il n'est pas encore arrivé, Votre Honneur, mais j'ai laissé un message le priant de venir ici le plus rapidement possible.

— Très bien, dit Newark. Mais je n'entends pas perdre de temps. Messieurs, inutile de vous dire combien je suis mécontent de la façon dont ces débats ont été menés. La Cour a été en quelque sorte court-circuitée...

— Votre Honneur, coupa Burger, je tiens à vous présenter les excuses du Ministère public. Je n'ai pu vous exposer en public les raisons qui m'incitaient à vous demander une remise car cela aurait pu affecter fâcheusement une enquête en cours. Mrs. Milfield, interrogée par les services du D.A., a enfin reconnu s'être rendue sur le yacht vendredi soir. Un homme dont elle est amoureuse a loué une barque et l'y a conduite.

Le juge continuait de gribouiller sur son bloc.

— Prétend-elle que son mari était encore vivant ? demanda-t-il.

— Non, répondit Burger, d'après elle, il était déjà mort. Mrs. Milfield affirme qu'elle l'a trouvé la tête près du seuil de la cabine.

— Pourquoi ne l'a-t-elle pas révélé plus tôt ?

— Elle avait peur qu'on l'accuse du crime.

— Hum...

— C'est exactement ce que j'ai pensé, fit le D.A.

Le juge se remit à dessiner sur son bloc.

— De l'avis du médecin légiste, poursuivit-il après un bref silence, l'hémorragie n'a pas pu durer plus de vingt minutes après le coup à la nuque. Le crime a donc été commis à un moment où le yacht avait commencé à s'incliner, mais ne s'était pas encore totalement penché. L'inclinaison maximum a dû être atteinte dans les vingt minutes qui ont suivi le meurtre. La question est de savoir si le corps a glissé lentement, peu à peu, ou, au contraire, d'un seul coup. Pouvez-vous y répondre, Mr. Burger ?

— Je crains que non, Votre Honneur.

— C'est pourtant le point capital de l'affaire, fit Newark d'un ton qui exprimait un certain mécontentement.

— Je sais, dit le D.A. d'un air gêné. Mais...

La porte s'ouvrit et Perry Mason, rasé de frais, et la mine reposée, fit son entrée.

— Bonjour, messieurs, déclara-t-il.

Le visage du juge exprima un vif soulagement.

— Maître, dit-il, soyez le bienvenu parmi nous. Comme vous vous en doutez certainement, j'ai beaucoup réfléchi à la question des marées. Voulez-vous me dire à quelles constatations vous êtes arrivé cette nuit ? Il semble que vous ayez été le seul à vous rendre compte de l'importance du problème.

— Le yacht, répliqua l'avocat avec un petit sourire, reste échoué pendant deux heures quinze ou vingt minutes. Il se penche progressivement, puis s'incline brusquement d'un coup.

— Et à quel moment intervient ce dernier phénomène, Mr. Mason ?

— Hier soir, ç'a été environ quatre heures après la marée haute.

Le juge parut se concentrer.

— Dans cette affaire, poursuivit l'avocat, nous avons voulu suivre ce qui semblait logique. Malheureusement, si le tableau d'ensemble collait, certains détails restaient inexplicables. Examinons les faits, un à un. Nous savons que Mrs. Milfield se trouvait à bord vers vingt et une heures trente. Nous savons que le yacht s'était déjà sensiblement penché et que quelqu'un a allumé une nouvelle bougie alors que le bâtiment s'était incliné d'environ dix-sept degrés...

— Donc, demanda Newark, vous pensez que c'est Mrs. Milfield qui a commis le crime ? Si oui, comment ? N'oubliez pas le témoignage du médecin légiste d'après lequel le coup a été porté avec une force exceptionnelle ?

— Je sais, rétorqua Mason. Nous nous trouvons par conséquent devant une contradiction apparente. Le crime a dû être commis alors que le yacht était encore droit, sinon l'empreinte sanglante ne se trouverait pas au milieu du barreau de l'échelle mais dans un coin. Pourtant, si le corps a glissé jusqu'à l'endroit où on l'a trouvé, la mort de Milfield a dû survenir moins de vingt minutes avant que le yacht ne se fût complètement incliné.

— Impossible de concilier ces faits, dit Burger. La solution doit tenir compte de l'une *ou* de l'autre série de faits.

— Pourtant, fit l'avocat, cette solution est tellement simple qu'elle aurait dû nous sauter aux yeux.

— Je crains de ne pas vous suivre, déclara le D.A. d'un ton hautain.

Mason tira de son portefeuille le dessin qu'il avait fait à l'intention de Drake et de Della et le montra au juge et à Burger.

— Milfield, expliqua-t-il, lorsqu'il a été tué, est tombé à l'endroit que je désigne comme position deux. L'assassin a déplacé le corps vers la position un, et la marée l'a fait rouler en position deux. Mais, à ce moment-là, l'hémorragie s'était déjà arrêtée. Parce que nous avons trouvé du sang en position deux, nous avons conclu qu'il a dû y avoir une hémorragie lorsque le cadavre a roulé sous l'effet de la marée.

Le juge prit le dessin et l'étudia longuement.

— Que je sois damné ! fit Burger entre les dents.

— Mais si Milfield est tombé en position deux, fit remarquer Newark, ce n'est pas en heurtant le seuil qu'il s'est tué. Quelle a été la cause de la mort ?

— Le tisonnier qui se trouve à côté du poêle.

— Si Milfield a été attaqué par-derrière au moyen d'un tisonnier, cela élimine la théorie d'un homme doué d'une force exceptionnelle, dit le juge. Même une femme aurait pu lui porter ce coup avec un impact suffisant pour provoquer une fracture du crâne.

— C'est possible, déclara Mason. Mais l'assassin n'a pas tenu compte d'une chose. Pourquoi le corps a-t-il été déplacé jusqu'à la position un ? Manifestement parce que le criminel voulait impliquer Burbank. Une fois l'incident de la Nouvelle-Orléans mis en évidence, Burbank faisait immédiatement figure de suspect. Le fait que le meurtrier ait tenté de compromettre mon client prouve qu'il n'ignorait pas le passé de celui-ci.

Mason ramassa sa feuille de papier, la remit dans sa poche et ajouta :

— Ce n'est pas à moi de dire au D.A. ce qu'il a à faire, mais si j'étais lui, je développerais mon offensive. Peu de criminels résistent à un interrogatoire vraiment serré. En déplaçant le corps, l'assassin s'est trahi. Et maintenant, messieurs du Parquet, je crois vous avoir fourni la solution du mystère. A vous d'agir...

CHAPITRE XXI

Mason, Della Street, Carol et Roger Burbank étaient installés dans le bureau de l'avocat. Burbank tirait nerveusement sur son cigare cependant que Mason pianotait sur le dessus de la table. Installée sur un coin de chaise, Della, elle aussi, paraissait tendue. Seule Carol semblait dans son état normal.

— Paul Drake va venir d'un instant à l'autre, déclara tout à coup Mason. Il a téléphoné il y a peu de temps.

— Croyez-vous que le juge ait déjà découvert la vérité ? demanda Carol.

— Une partie seulement. Mais il devinera rapidement le reste... Tenez, j'entends des pas. C'est certainement Drake... — On frappa à la porte. — Entrez, Paul.

— Salut tout le monde, dit le détective en pénétrant dans la pièce. Eh bien, ça y est Perry. Tout est fini.

— Le coupable a-t-il avoué ? s'enquit Mason.

— Non. Lui continue de se taire. Mais Mrs. Milfield, poussée dans ses derniers retranchements, a fini par tout reconnaître.

— Qu'a-t-elle dit ?

— Suffisamment pour que Burger puisse se passer des aveux du criminel. Dites-moi, Perry, comment avez-vous deviné son identité ?

— La clé du mystère résidait dans le fait que le corps avait été déplacé de la position deux à la position un, expliqua l'avocat. Cela indiquait que quiconque l'avait fait était au courant de l'affaire de la Nouvelle-Orléans et voulait faire de Burbank le bouc émissaire. Peu de gens, toutefois, connaissaient cet incident. Trois, très exactement — Mrs. Milfield, puis son mari et Van Nuys, après qu'elle le leur eut dit. Ceci admis, le meurtrier ne pouvait être que Mrs. Milfield ou Van Nuys. Après l'explosion du yacht, mes préférences, si j'ose dire, sont allées à Van Nuys, car je ne vois guère une femme allant de nuit déposer une bombe à retardement pour effacer les traces d'un crime précédent. Il est cependant évident que Mrs. Milfield a dû apprendre très tôt la mort de son mari et coopérer avec l'assassin pour lui fabriquer un alibi. Et j'ai pensé qu'il valait mieux atteindre le coupable par l'intermédiaire de Mrs. Milfield, celle-ci étant le maillon faible de la chaîne.

— Eh bien, vous aviez raison, Perry, dit Drake. Après que Burbank eut ordonné à Milfield de la rejoindre sur le yacht, celui-ci, complètement affolé à la perspective de tout perdre, a appelé Van Nuys. Ils ont projeté d'assassiner Burbank pour l'empêcher de porter plainte, et ont mis au point un plan précis. Celui-ci n'aurait toutefois été mis à exécution que si Burbank avait refusé de se laisser convaincre de la pureté des intentions des deux compères. Milfield avait donc invité Palermo sur le yacht, après lui avoir proposé une grosse somme d'argent, dans l'espoir de rentrer dans les bonnes grâces de Burbank. Van Nuys, lui, devait s'embarquer sur un canot pneumatique et attendre les nouvelles au milieu du port. Si Milfield lui indiquait, au moyen d'un signal convenu, que tout allait bien, le projet d'assassinat était abandonné. Si, en revanche, les choses se gâtaient, Van Nuys devait aborder secrètement le yacht et y placer une bombe à retardement.

» Seulement, il fallait que Van Nuys eût un alibi pour le moment de l'explosion. Et Mrs. Milfield, qui depuis longtemps était sa maîtresse, s'était chargée de ça. D'où le prétendu projet de voyage à San Francisco pour soi-disant rejoindre Burwell. D'où l'annulation de ce voyage sur intervention préparée d'avance de Van Nuys, d'où la lettre à Milfield dans laquelle elle prétendait vouloir le quitter, alors qu'elle n'en avait nullement l'intention.

» Malheureusement, Burbank, loin de se laisser convaincre, s'est fâché tout rouge, a mis Milfield K.O. et a quitté le yacht après avoir lancé à la dérive le canot de Milfield.

» Van Nuys avait assisté au départ de Burbank. Devinant que les choses ne tournaient pas rond, il s'est rendu sur le yacht et a trouvé son associé à moitié assommé. Les deux hommes se sont disputés, se reprochant mutuellement leur sottise. Milfield s'est jeté sur Van Nuys et l'a jeté à terre. Van Nuys n'avait pas la force physique de résister. Il s'est alors emparé du tisonnier et a frappé Milfield à la nuque, le tuant raide, et le corps est tombé à l'endroit que vous appelez position deux.

» Voyant Milfield mort, Van Nuys s'est rendu compte combien sa situation était précaire. Il a rapidement imaginé la mise en scène que nous connaissons, pour faire retomber les soupçons sur Burbank. Evidemment, pour se garantir contre toute surprise, il a dû tout raconter à Mrs. Milfield et, finalement, l'alibi combiné pour l'assassinat projeté de Burbank a servi pour celui, imprévu, de Milfield.

— J'avais envisagé l'éventualité que cet alibi eût été préparé pour autre chose, dit Mason. Je suppose que, lorsque Mrs. Milfield s'est rendue sur le yacht avec la complicité de Burwell, ce n'était pas pour le simple plaisir de contempler le corps de son mari.

— Non, en effet, fit Drake.

— Et c'était pour quoi ? demanda l'avocat.

— Pour y récupérer un petit agenda que Milfield portait toujours sur lui, rédigé en code. Il y inscrivait toutes ses transactions truquées, c'est-à-dire les dessous de table qu'il touchait sur les terrains achetés pour le compte de la société pétrolière. Si jamais la police trouvait ce carnet, elle aurait certainement réussi à le déchiffrer, et alors les choses pouvaient se compliquer. Burbank, même suspect, pouvait faire résilier les contrats conclus ; or, Van

Nuys et Mrs. Milfield ne voulaient pas se retrouver sans un sou.

— Et Mrs. Milfield, je présume, s'est proposée pour aller récupérer l'agenda dans la poche de son défunt mari ?

— Oui, en s'assurant de l'aide de Burwell, sur la discrétion duquel elle croyait pouvoir compter. Elle estimait d'ailleurs qu'elle ne risquait rien puisque elle aussi avait un alibi pour le moment du meurtre de Milfield.

— Et voilà, déclara Mason en se tournant vers Burbank et sa fille.

Le téléphone intérieur sonna.

— Allô ? fit Della en décrochant. — Elle écouta quelques instants, puis jeta un coup d'œil à Mason. — Une cliente, patron. Elle est là, et voudrait vous voir.

— Intéressante ? demanda l'avocat.

— A en juger par ce que me dit Gertie, oui.

— Alors, je vais la recevoir, mon petit. Faites-la entrer dans la bibliothèque. Et pendant que je m'entretiendrai avec elle, faites rédiger par Mr. Burbank un chèque de cent mille dollars au nom de Mrs. Adelaide Kingman. On l'avait un peu oubliée, cette pauvre femme...

PRODUCTION
EDITO-SERVICE S.A., GENÈVE

IMPRIMÉ EN ITALIE